RJ
C343dcd.

Jeunesse

DOUZE CONTES DE PRINCESSES

DU MÊME AUTEUR DANS
Le Livre de Poche Jeunesse

Sindbad le marin
Sept contes de trolls
Les 3 Rois mages
Le premier roi du monde
(L'épopée de Gilgamesh)
La création du monde

JACQUES CASSABOIS

DOUZE CONTES DE PRINCESSES

HACHETTE
Jeunesse

JANVIER

LES PLÉIADES
Conte de Suède

Où l'on voit qu'une compétition ne désigne pas toujours un vainqueur et qu'à la fin de l'épreuve, les concurrents peuvent rester à égalité. Comment les départager ? Ce conte nous révèle une solution.

Un roi et une reine avaient une fille unique. Une perle, un joyau. Ses parents l'avaient éduquée comme on doit éduquer les princesses : en répondant à ses questions et en l'encourageant à chercher ses propres réponses.

Habituée à être stimulée, elle avait été une enfant vive, puis une jeune fille réfléchie, enfin, une jeune femme capable de faire des choix et d'écouter les autres.

Quand elle prendrait la succession de son père, un nouveau soleil se lèverait sur le royaume. Mais, parce qu'aucune lumière ne sait vraiment briller tant qu'elle n'a pas connu la nuit, l'obscurité s'abattit un jour sur cette promesse pour l'étouffer.

La princesse se trouvait dans le parc du château avec ses suivantes, quand un ogre surgit. Gigantesque, hideux, estropié, il rappelait le souvenir des temps anciens, quand les premiers vivants entretenaient le feu des volcans. Cet ogre-là était un de leurs descendants.

Il fit main basse sur la princesse et l'embarqua à grandes enjambées, laissant ses suivantes muettes, paralysées.

— Un ogre ! s'exclama le roi en apprenant le rapt.

Il n'était qu'à moitié surpris. Les géants sont

des ennemis de l'harmonie. Ils s'en prennent à ceux qui construisent et réussissent. Ils préfèrent le chaos et détruisent les promesses d'avenir. La princesse représentait une menace pour ce barbare.

— Il faut le combattre par la ruse et par l'esprit ! décida le roi.

C'est pourquoi il s'adressa à la jeunesse du pays.

— Celui qui se montrera capable de délivrer ma fille pourra l'épouser. Et puisqu'il aura déjà conquis la moitié de ma vie, je lui offrirai en outre la moitié de mon royaume !

Voilà ce que proclamait son édit.

Cette double récompense lança une meute de limiers sur la piste du kidnappeur.

Dans un autre royaume, très loin, vivait une reine, veuve, mère de six grands garçons. Lorsque la nouvelle de l'enlèvement lui parvint, elle convoqua ses enfants.

— C'est une aubaine, leur dit-elle. Je veux que vous tentiez votre chance. Mais, ne sous-estimez pas votre adversaire. Les ogres ne sont pas tombés de la dernière pluie. Au lieu de foncer tête baissée, forgez-vous chacun une arme personnelle, puis unissez vos talents. Faute de quoi, les chasseurs que vous êtes se changeront en proies.

Les six garçons écoutèrent avec attention. Puis, chacun de son côté, chercha de quelle manière il pouvait mettre à profit les conseils de sa mère.

L'aîné se dit :

— Les ogres vivent au-delà des sept océans. Il nous faut une barque spéciale pour nous y rendre.

Il s'engagea chez un vieux constructeur de navire qui lui enseigna comment débiter un arbre en planches, comment les fixer sur une carlingue, les assembler en écailles de poisson, les calfater avec du poil de vache et les imperméabiliser à la graisse de phoque... Quand il maîtrisa cette science, il conçut un navire révolutionnaire : sans proue, ni poupe, il pouvait naviguer aussi bien vers l'avant que vers l'arrière[1].

En découvrant cette merveille, le deuxième frère réfléchit :

— Posséder une barque est certes un préalable, mais savoir naviguer est encore plus indispensable.

Il s'en alla chez un marin qui avait sillonné l'océan, découvert des terres nouvelles et même un continent. Chez lui, il apprit le ciel, l'inclinaison de la terre par rapport au soleil, l'étoile

---

1. Le conte nous suggère ici la création du *knorr*, le fameux bateau viking.

polaire, mais aussi les courants, les migrations des poissons et les caprices du vent.

Avec une telle formation, ils pourraient affronter la mer, de jour comme de nuit et par gros temps.

— C'est bien beau ! pensa le troisième frère. Mais les ogres ne vivent pas dans l'eau. Leurs châteaux sont bâtis sur la terre, au sommet des montagnes, haut perchés. Il faut pouvoir y accéder ou bien nous resterons au pied des murailles.

Il était souple, il apprit à grimper. Bientôt, il fut un as de la varappe, capable de gravir des parois, à peine suspendu par le bout des doigts.

— La souplesse est une arme efficace, admit le quatrième, car les ogres sont des balourds, mais je possède aussi une qualité qu'ils ne sont pas près de développer : la délicatesse du toucher !

Il la fit progresser en s'entraînant à dénicher des nids où couvaient les oiseaux endormis. Il faisait preuve d'une telle délicatesse qu'il parvenait à soulever la mère, voler ses œufs, la reposer et repartir sans la réveiller. Il commença avec des perdrix dans les champs, s'enhardit avec des pies dans les bouleaux, puis avec des corbeaux, en grimpant dans les frênes.

— Ne commettons pas l'erreur de négliger la magie ! mit en garde le cinquième.

Et sans en dévoiler davantage, il se rendit chez un sorcier qui l'initia à l'art des runes[1]. Il était doué. Rapidement, il sut lire l'avenir, jeter des sorts, faire la pluie, le beau temps, lever le jour devant lui et derrière, tomber la nuit.

Le plus jeune des six était un guerrier, brave au combat, adroit. Il fit un stage chez un maître archer pour se perfectionner.

— Utilise ton regard intérieur, lui conseilla son professeur. Tu ne rateras jamais ta cible.

Il apprit ainsi à tirer dans n'importe quelle position et dans les pires conditions. Il mettait toujours dans le mille. Depuis le sol, il était même capable d'atteindre le bec d'un oiseau en plein vol.

Quand ils se présentèrent tous les six auprès de leur mère, bardés de leurs talents d'experts, celle-ci leur donna sa bénédiction.

— Sillonnez le monde, mes enfants. Délivrez-le de l'ogre du mal, puis ramenez la princesse. Je suis curieuse de savoir qui d'entre vous décrochera la timbale !

Les six frères prirent congé de la reine.

— Mon knorr nous attend, proposa l'aîné. Montons à bord !

---

1. Lettres de l'ancien alphabet nordique qui servaient de support aux voyants pour prédire l'avenir.

Mais une fois embarqués, le vent se mit à souffler en tempête et la mer à se déchaîner.

— Heureusement que j'ai appris à naviguer ! cria le deuxième frère dans les rafales.

Il saisit le gouvernail et le bateau, piloté par son capitaine, s'éloigna vers le large.

— Cap à l'est[1] ! C'est là que les géants, jadis, avaient leur repaire. Notre ogre s'y sera réfugié.

Et le voyage se poursuivit pendant des jours dans le gros temps.

Soudain, une montagne de verre, surgie des flots, se dressa devant eux[2]. Elle était si haute qu'elle paraissait toucher les cieux. Le vent était tombé et le knorr ne pouvait plus ni avancer, ni reculer.

Un grondement étrange qui ébranlait le sommet de la montagne leur fit lever les yeux. C'était l'ogre. Endormi, la tête posée sur les genoux de la princesse, il ronflait.

— Nous voici arrivés ! annonça le capitaine.

— Oui, à moi de jouer ! reprit le troisième frère en s'apprêtant à escalader.

---

1. Dans la mythologie nordique, c'est dans cette direction que le dieu Thorr, ennemi déclaré des géants, partait pour les combattre.
2. Les Vikings rencontraient fréquemment ces montagnes lorsqu'ils naviguaient dans les mers froides. Elles n'étaient pas de verre, mais de glace. C'étaient des icebergs. L'imaginaire du conte les a transformés.

Mais une fois là-haut, comment se débarrasser du lourdaud ?

— Il n'y a pas deux solutions, décida le quatrième frère. Emporte-moi sur ton dos.

C'est ainsi que le grimpeur s'attaqua à la paroi, chargé comme un baudet.

Évoluant avec la rapidité d'une araignée, il parvint bientôt au sommet. La prisonnière sourit en découvrant ses deux sauveurs. Ils surprenaient la bête au nid et la princesse, saine et sauve. Il était temps ! Alors, pendant que le troisième se reposait, son cadet, avec ses précautions de dénicheur, souleva la tête du ravisseur.

Palpé par des doigts de fée, l'ogre ne se rendit compte de rien.

Dès que la princesse fut libérée, ils se précipitèrent dans la descente qui se déroula comme la montée, aussi bien, mais à trois : un porteur et deux ballots !

Mais à peine dans le bateau, au lieu de se féliciter, ils levèrent la voile sans attendre et cinglèrent loin de cet îlot.

Bien leur en prit, car l'ogre, privé de son mol oreiller, ne tarda pas à se réveiller. Quand il constata la fuite de son petit tendron, il chercha autour de lui et comprit qu'il s'était fait berner en découvrant la voile, encore visible à l'horizon.

— Vous ne perdez rien pour attendre ! gronda-t-il en soulevant un rocher.

Le cinquième frère le vit armer son tir pour les écrabouiller. Vite ! laissant le jour devant eux, il fit tomber la nuit derrière et l'ogre, soudain plongé dans l'obscurité, lança au jugé et manqua les fuyards.

— Ah ! vous voulez de la magie, ricana le malabar, sans se laisser impressionner. J'en possède aussi quelques notions !

Il chaussa ses bottes infatigables puis, du haut de sa montagne, sauta dans la mer et se mit à courir en se jouant des vagues. Rapide comme le vent, il aurait rattrapé ces amateurs en deux temps, trois mouvements !

À bord, pourtant, on ne s'avouait pas vaincu.

— Ton heure est venue, frérot, dit le magicien au benjamin qui piaffait. Vois si tu peux nous sortir de ce pétrin !

Le petit tira une flèche de son carquois, la plaça sur la corde de boyau, banda son arc, ferma les yeux pour mieux se représenter l'ogre hideux et décocha.

Le trait siffla et atteignit le géant en plein milieu du front.

— Pile, dans le mille !

Renversé comme une quille, l'ogre disparut sous les flots. La voie était libre. Hourra !

Le reste de la traversée se déroula sans incidents et ne mérite pas d'être raconté.

Il en alla tout différemment quand les six artabans, fiers de leur exploit, se présentèrent avec la princesse, pour la rendre à son père. Chacun, en effet, revendiquait la récompense.

— Sans mon knorr, Majesté, attaqua l'aîné, nous n'aurions jamais pu arriver à bon port !

Mais le roi ne s'était pas encore prononcé que le deuxième confisquait la parole au premier.

— Sauf que si je n'avais pas su manœuvrer dans la tempête et le vent, nous étions tous grosjean comme devant !

— Absolument ! fit semblant d'approuver le troisième. Mais c'est tenir la montagne pour quantité négligeable. Qu'aurions-nous fait si je n'avais pas vaincu l'obstacle ?

— Nous aurions échoué, répondit le quatrième. Mais heureusement, Majesté, j'étais présent, car c'est moi, vraiment moi, qui ai libéré la princesse. L'ogre l'immobilisait, la tête sur ses genoux. Nous n'aurions pu la délivrer sans ma souplesse de loup !

— Taratata ! Sans moi, argumenta le magicien, nous serions tombés de Charybde en Scylla !

C'est à la faveur de ma nuit, pensez-y, que nous nous sommes enfuis !

— Nous y pensons, acquiesça le benjamin. Mais nous ne serions pas allés bien loin, sans mon intervention. L'ogre nous aurait rattrapés et dévorés en quatre coups de cuillère à pot. Par bonheur, mon adresse, et elle seule, a eu le dernier mot !

Le roi, pris au dépourvu, ne savait que décider. Il se tourna vers ses conseillers qui se prononcèrent avec sagesse.

— Majesté, dirent-ils, demandez donc l'avis de la princesse !

La jeune fille qui se serait bien passée d'un tel cadeau resta muette, incapable de choisir parmi ces six héros.

C'est alors que l'aîné, mine de rien, proposa une solution. Il avait parlé le premier et, en écoutant ses frères, regrettait de s'être précipité. Choisir était un vrai calvaire et la décision, quelle qu'elle soit, laisserait chacun amer : l'élu aussi bien que les vaincus.

Il décida donc de se retirer de la compétition et, par amour, il renonça à aimer.

Aussitôt, il se sentit apaisé et léger. Si léger qu'il ne touchait plus terre. Si transparent de paix qu'il disparut vraiment. Vraiment ? Oui, corps et biens, comme un marin. Mais son âme demeura, car une nouvelle étoile, au même instant, s'alluma dans le ciel. C'était lui. Son renoncement venait de lui offrir l'éternité.

Mais attendez ! Mon histoire n'est pas terminée.

Quand une idée est juste et fortement affirmée, elle se propage en silence et entraîne derrière elle tous ceux qui n'ont pas encore osé l'exprimer.

C'est ainsi que le deuxième frère, à son tour, s'effaça et rejoignit l'aîné. Le troisième aussi et le quatrième avec lui, par habitude. Et le cinquième, emporté par le mouvement, brilla bientôt au firmament et le sixième sur ses talons...

La princesse restait seule. Elle n'avait pas pu choisir parmi ses prétendants, car elle n'osait pas les aimer tous, simplement. Ils venaient de lui en donner la permission. Alors, sans un mot d'adieu à son père qui restait sur la Terre, elle les rejoignit dans les cieux.

Ils s'y trouvent depuis ce jour, tous les sept, emmaillotés dans le bleu du nord qu'ils ont emporté avec eux.

Étoiles du froid, c'est ainsi que les Pléiades sont nées. Elles éclairent les longues nuits d'hiver en traversant le ciel, emmenées par la princesse. Écoutez-les. Elles chantent, elles rient, elles scintillent de jeunesse.

FÉVRIER

LES TROIS PRINCESSES AU PAYS BLANC
Conte de Norvège

Où l'on voit comment un prince
à qui l'on avait tout donné :
amour, beauté, puissance, perd
tout par orgueil et vanité. Une
chance pour lui, inespérée, de
reconquérir ce qu'il n'a plus, par
sa force et par sa volonté, afin de
mieux le mériter.

Il était une fois un pêcheur et un roi.

Le premier habitait au bord du rivage, à proximité du château du second. Chaque jour il pêchait et fournissait le roi qui était friand de poissons tirés des eaux profondes. Cette nourriture était bonne pour lui. Sans elle, il n'aurait pas gouverné son royaume avec justice et équité.

Un jour, un drame se produisit. Le pêcheur eut beau lancer et relancer ses lignes, le poisson ne mordait pas. L'homme, pourtant, connaissait les courants, les habitudes de ses proies, leurs déplacements. Mais ce jour-là, rien. Le poisson se refusait à lui et le pêcheur tremblait à l'idée de monter au château les mains vides.

Le jour déclinait et l'homme se résignait à regagner la terre, lorsqu'une tête apparut à la surface de l'eau : celle d'un brochet aux écailles bleues. Un vieil animal, plein de vigueur et de noblesse. Le pêcheur n'en avait jamais vu de si âgé.

— Donne-moi ce que ta femme porte sous la ceinture, lui dit-il, et jusqu'à la fin de ta vie, tu prendras autant de poissons que tu voudras, sans te faire de souci.

Sous sa ceinture ? Mais sa femme ne portait rien ! Que sa jupe, ses bas et ses sabots. La vieillesse, décidément, n'était pas une garantie de sagesse. Ce brochet avait perdu la tête pour proposer un tel échange.

— Marché conclu ! accepta le pêcheur avec empressement. Ce qu'elle porte est à toi, et qu'on ne revienne pas là-dessus !

Le brochet disparut sans un mot et le pêcheur, surpris, voulut voir si leur accord avait déjà pris effet. Il lança une ligne à l'eau et aussitôt un poisson se laissa ferrer. Rassuré, il recommença et, en une heure, il pêcha l'équivalent d'une journée de labeur.

Il rentra à la nuit tombante, livra ses prises au château et retourna chez lui, pressé d'annoncer la bonne nouvelle à sa femme.

— Sous la ceinture ? s'écria-t-elle en l'écoutant. Mais malheureux, je suis enceinte. Tu viens de lui donner notre enfant !

La femme s'abîma dans le chagrin. Leur bébé n'était pas encore né qu'ils l'avaient déjà perdu ! Quant au pêcheur, il avait beau se rendre compte qu'il avait agi à la légère, ses regrets ne parvenaient pas à consoler son épouse.

Le roi eut vent de cette nouvelle et comprit que ce brochet était un esprit des eaux. Il n'avait pas jeté son dévolu sur cet enfant sans raison. Un jour ou l'autre, il viendrait l'enlever. Où l'emmènerait-il ? Pour quoi faire ? Nul ne pouvait percer ce mystère. L'enfant était prédestiné et il importait de le préparer. Le roi proposa donc aux parents de l'adopter.

Ils ne furent pas longs à convaincre.

— Notre petit, élevé dans la soie des princes et des princesses ?

Ce fut un prince et, dès que la mère eut accouché, le roi envoya chercher le bébé pour le confier à une nourrice attitrée, comme il eût fait de son propre fils.

Les années passèrent. L'enfant apprit à lire, à écrire et fut initié aux sciences de la vie. Il grandit bien, sans ignorer qui étaient ses parents naturels et devint un jeune homme réfléchi, au caractère bien trempé.

Un jour, il demanda au roi la permission d'accompagner son père à la pêche. Le roi refusa tout net. Il redoutait une tentative du brochet. Mais le fils adoptif revint à la charge avec des arguments si convaincants, que le roi finit par accepter.

La journée sur les eaux passa très vite, caressée par la brise. Le père apprit à son fils les rudiments de la pêche, le nom des poissons, les changements du temps selon les vents.

Ils rentrèrent quelques heures avant la nuit. Le fils aida son père à décharger la cargaison et l'accompagna au château pour la livraison. Soudain, il se rendit compte qu'il avait oublié son mouchoir dans la barque.

— Je te rejoins, père, dit-il en rebroussant chemin. Ne m'attends pas.

Mais il était à peine à bord que l'embarcation, doucement, se détacha du rivage et s'éloigna vers le large.

Le jeune homme se jeta sur les rames et souqua de toutes ses forces à contresens. Peine perdue ! Un courant l'avait saisi et bientôt, la côte fut hors de vue.

Combien de temps cette navigation dura-t-elle ? Impossible de se prononcer. Beaucoup plus d'une journée, c'est certain. Pourtant le soir ne descendit jamais, ni la nuit. Peut-être qu'en se déplaçant, la barque suivait la course du soleil. Peut-être avait-elle franchi des limites invisibles et naviguait-elle sur l'océan du temps...

Le jeune homme renonça vite à ramer et se tint debout, à l'affût.

Un rivage, soudain, apparut. Rien ne l'avait annoncé. Ni tiédeur dans le vent, ni parfum de terre. Il avait surgi, comme si le gris de l'horizon s'était cristallisé pour former une île. Une île sans pareille, blanche comme neige, mais une neige sale, couverte d'une ombre qui en éteignait l'éclat.

Le sable de la plage était blanc. Blanche aussi, la forêt qui descendait vers la mer. Blanche enfin, la barbe du vieillard qui attendait sur le rivage.

— Où suis-je ? lui demanda le jeune homme en accostant.

— Au pays Blanc ! répondit le vieux simplement. Comment l'as-tu découvert ?

Le jeune homme raconta le mouchoir oublié, sa journée de pêche avec son père naturel, ses années avec son père adoptif et remonta ainsi le cours de sa vie jusqu'au brochet d'avant sa naissance.

— Ah, c'est toi ! acquiesça le vieil homme. Alors ne perds pas un instant. Longe la plage dans cette direction. Trois sœurs t'attendent. Trois princesses enterrées dans le sable jusqu'au cou. La première est l'aînée. Elle te suppliera de la délivrer. Ne l'écoute pas. Ferme ton cœur à la pitié et marche. Plus loin, la deuxième poussera des plaintes à fendre l'âme. Ne te laisse pas émouvoir. Marche, marche, sans lui répondre. Quand tu verras la troisième, arrête-toi, écoute-la, obéis-lui.

Le jeune homme suivit ces conseils et longea le rivage jusqu'à la première princesse enterrée.

— Beau prince, au secours ! délivre-moi, j'étouffe ! La terre me broie le ventre, m'écrase la poitrine.

Le jeune homme ne la regarda même pas, la dépassa et continua à marcher sous ses insultes et ses malédictions.

Plus loin, il rencontra sa sœur.

— Beau prince, viens à mon aide, je vais mourir. Le froid m'a déjà saisie. Réchauffe-moi, ramène-moi à la vie.

Le jeune homme poursuivit son chemin comme si elle n'existait pas et ne s'arrêta qu'à proximité de la plus jeune, ensevelie comme ses aînées.

— Beau prince, lui dit-elle, le pays Blanc a été conquis. De jour en jour, son éclat faiblit. Tu pourrais lui redonner sa pureté, si tu acceptais de m'écouter...

Cette princesse n'avait pas la même voix que ses sœurs. Celles-ci réclamaient qu'on les sauve. Celle-là plaidait en faveur de son pays.

Le jeune homme s'agenouilla à côté de la tête qui dépassait du sable.

— Parle !

— Voilà ! lui expliqua-t-elle. Nous habitions le château que tu vois, au-delà de la forêt. Il est lugubre aujourd'hui et gagné par la nuit. Hier, il était source de lumière et nous y vivions mes sœurs et moi. Mais les trolls ont envahi notre pays et nous sommes depuis, prisonnières de la terre. Acceptes-tu de nous aider ? Si oui, tu pourras, de nous trois, épouser celle qui te conviendra.

— J'accepte ! répondit le jeune homme qui avait déjà fait son choix.

— Alors, rends-toi au château. Son entrée est gardée par deux lions. De notre temps, ces fauves étaient des maîtres de justice, mais les trolls les ont pervertis. Si tu passes entre eux, juste au milieu, sans te laisser impressionner, tu ne risques rien. Pénètre dans le vestibule, avance tout droit jusqu'à une pièce obscure qui regarde l'entrée. Tu y trouveras un lit. Allonge-toi et attends. Un troll viendra te fouetter. Accepte, sans protester, sans crier et, lorsque la brute aura terminé, décroche le flacon suspendu au mur, à côté du lit. Il contient un baume. Enduis-toi le corps et tes blessures, aussitôt, se cicatriseront. Alors, empare-toi de l'épée accrochée sous le flacon et tue le troll.

Le jeune homme obéit à la princesse. Il se rendit au château, passa entre les lions, juste au milieu, s'allongea sur le lit, attendit...

À la nuit tombante, un troll à trois têtes, équipé d'un fouet à trois lanières, fit son entrée. Voyant le lit occupé, il gloussa de plaisir et se mit à frapper. Le jeune homme endura sans broncher, jusqu'à ce que le butor en ait assez. Alors, il s'empara du flacon de baume, enduisit ses blessures et, aussitôt guéri, d'un grand coup d'épée transperça son bourreau. Mission accomplie !

Satisfait de lui, il ouvrit la fenêtre pour confier la nouvelle au vent qui la porterait aux trois belles. Mais ce qu'il aperçut au loin, le réjouit et l'effraya à la fois.

Le sort des princesses s'était certes amélioré. Elles étaient davantage libres de leurs mouvements, car leurs poitrines et leurs bras étaient dégagés. Mais elles restaient enterrées jusqu'à la taille et le jeune homme comprit que pour les libérer, un nouveau supplice l'attendait. Allait-il pouvoir résister ?

Vers la fin de l'après-midi, il reprit position sur le lit et, à la nuit, un deuxième troll fit son apparition. Le premier était un nain en comparaison ! Six têtes, pas moins. Toutes effroyables. Chacune illustrait un aspect de son caractère : bêtise, dédain, vulgarité, laideur, égoïsme, brutalité.

Il s'approcha de la couche et commença à frapper. Son fouet à six lanières claquait. Chaque coup faisait mouche !

On me croira si l'on veut, le garçon résista, sans un cri, sans une plainte. Quel gaillard ! Il pensait aux trois sœurs, déterminé à les sauver, à nettoyer leur pays de la barbarie qui l'avait sali.

Lorsque le troll fut rassasié de bestialité, le jeune homme, titubant, atteignit le flacon, l'ouvrit, appliqua l'onguent et, aussitôt rétabli, décrocha l'épée et massacra le lourdaud. Après quoi, il se précipita à la fenêtre. Ce qu'il vit le glaça !

Les princesses n'étaient pas totalement libérées. Elles restaient entravées par les pieds.

— Je n'y arriverai jamais, murmura-t-il découragé, en pensant à la nuit qui l'attendait.

Il passa le reste de la journée allongé sur son lit, à méditer.

Comme les soirs précédents, un troll fit son entrée. C'était l'aîné. Encore plus monstrueux que ses cadets, il agitait un fouet à neuf queues et ses neuf têtes hurlaient, chacune avec la voix d'un fauve différent.

Il était venu pour fouetter, il fouetta.

Le jeune homme devait subir, il subit, sans gémir, cramponné à sa volonté de secourir. Sa résistance, tout de même, finit par atteindre ses limites et, à bout d'endurance, il s'évanouit.

Le troll, furieux, se précipita sur lui, le souleva, le secoua à bout de bras pour le ranimer, puis, voyant que son jouet était cassé, le projeta contre le mur, de dépit. Mauvais calcul ! Le choc fit tomber le flacon qui se brisa et le baume se répandit sur le corps meurtri qui guérit. Vite, vite, l'épée !

Et le rustaud fut occis !

Le héros courut à la fenêtre, mais les princesses, enfin libres, gravissaient déjà l'escalier du château. Il entendait sonner leurs rires. Il se précipita à leur rencontre et dit à la plus jeune qui accourait.

— Depuis que j'ai entendu ta voix me conter les malheurs de ton pays, je t'aime. Veux-tu être ma reine comme je serai ton roi ?

— Oui, je le veux !

Et leur amour produisit son effet dans l'instant : l'ombre jetée par les trolls se dissipa et le pays Blanc retrouva son rayonnement.

Le temps passa, fluide, comme le vent sur les ailes des oies sauvages quand elles remontent vers le nord.

Un jour, le jeune roi éprouva le désir de revenir vers son passé. Il voulait revoir sa mère et son père le pêcheur, leur montrer quel homme il était devenu.

— J'ai toujours su que tu voudrais repartir un jour, lui avoua la reine avec inquiétude. Je ne peux pas t'en empêcher, même si je crains de te perdre à jamais.

— Je ne m'absenterai pas longtemps, la rassura-t-il. Je ne fais qu'aller et venir. Ma vie est ici dorénavant.

La reine ne répondit pas. Elle connaissait le charme des pays d'enfance, l'illusion des souvenirs. Il avait eu le courage de vaincre les trolls. Serait-il capable de vaincre l'attrait de son passé, de s'en détacher ? Et surtout, serait-il capable de la retrouver ?

— Pars quand tu voudras, lui dit-elle. Mais promets-moi de suivre ce conseil : sois attentif aux paroles de ton père, mais ne cède jamais aux prières de ta mère. Puis elle glissa une bague à son doigt.

— Cet anneau est puissant. Il contient deux vœux. Il te suffit de désirer pour qu'ils se réalisent. Utilise-les à bon escient !

Et comme en l'écoutant, il désirait partir, il se retrouva immédiatement devant la maison de ses parents.

Premier vœu !

Quand ils le virent, ils se demandèrent qui était cet homme si important et ce qu'il venait faire dans leur maison, aux odeurs de varech et de poisson.

— Je suis revenu dans les lieux où je suis né, respirer les parfums de ma première saison, leur dit-il.

Ses parents le regardèrent, sans oser le comprendre. Puis sa mère s'élança, pleurant de joie.

— Mon fils, c'est toi !

Son père aussi était heureux, mais il s'interrogeait sur ce retour. En apparence, il resta froid.

La mère, en revanche, posait mille questions, voulait tout connaître de son fils depuis sa disparition. S'il s'était installé dans la vie ? Où ? Quelle profession il exerçait ? Cela dura des jours.

— Et comme ça, tu es roi ! lui dit-elle à la fin. Roi comme notre roi !

Elle n'en revenait pas.

— Oui, mère ! Roi d'un pays au nord du monde.

— Mais, continua-t-elle, il faut le faire savoir !... Présente-toi au château... Va montrer comme tu es beau !

Le père était d'un autre avis.

— J'avais commencé à t'apprendre à pêcher, fils et nous avons été interrompus. Les eaux renferment tant de mystères. J'en aurais encore beaucoup à te révéler.

Le jeune homme se rappela l'avertissement de son épouse. Écoute ton père ! Attention à ta mère !

Mais la mère se montra pressante. Elle voulait que la réussite de son fils apparaisse enfin, éclatante ! Que la cour la jalouse, elle, femme de pêcheur ! Que le roi s'émerveille ! Bref, qu'elle prenne sa revanche !

Le fils finit par céder. L'admiration et les compliments étaient plus agréables que le roulis de la barque et la fraîcheur du vent. Il monta donc au château où, à nouveau, il raconta son histoire.

Tout le monde se réjouit, évidemment, et le félicita. Seul, le roi ne s'émerveilla pas. Son fils adoptif s'était montré à la hauteur de son éducation, ni plus, ni moins. Qu'un fils de roi devienne roi à son tour n'avait rien de très étourdissant ! En revanche, il lui reprocha de n'être pas encore marié.

— Un roi sans reine est incomplet, lui dit-il. Il perd beaucoup de son autorité.

— Mais si, père, je suis marié, je vous assure. Elle est belle, pure... Si seulement elle était là, à mes côtés, vous seriez rassuré.

Au même instant, la reine du pays Blanc apparut et le jeune homme se rendit compte, mais trop tard, de sa bévue. Le deuxième vœu était brûlé !

— Imprudent ! lui reprocha son épouse. Tu m'as souhaitée et je n'ai pu qu'obéir à l'autorité de l'anneau. Mais je ne puis rester. En mon absence, mon royaume court un danger.

Avant de le quitter, elle noua un second anneau

dans les cheveux du prince. Son nom y était gravé. Puis, elle formula le souhait de rentrer et disparut.

Seul au monde ! Le jeune homme avait perdu son épouse et n'avait plus aucun moyen de la retrouver.

— Si seulement j'avais suivi les conseils de ma reine, se lamenta-t-il, désespéré... si j'avais accompagné mon père sur les eaux, au lieu de rechercher les flatteries du château...

Il s'enfuit et courut comme un fou vers le rivage. Il avait trouvé comment regagner le pays Blanc. Il poussa la barque de son père sur les flots, sauta à bord et attendit le courant qui jadis l'avait emporté.

— Allez, navigue !... hurla-t-il en faisant tanguer son embarcation.

Mais elle ne s'éloignait pas. Au contraire, le remous des vagues le ramenait vers le bord.

Furieux, il se jeta sur les avirons et navigua vers le large. Il rama jusqu'à épuisement, s'endormit, se réveilla, rama encore, halluciné par sa colère et son chagrin.

Un jour, il parvint en vue d'une terre dominée par une montagne immense, au sommet dissimulé par les nuées. Malgré la neige qui la recouvrait, ce n'était pas le pays Blanc.

Dès qu'il posa le pied sur le rivage, il sentit une présence. Personne en vue, pourtant quelqu'un était là. Une puissance invisible, comme la foudre au cœur de l'orage. Elle frappa soudain en se montrant et le jeune homme resta sans un mouvement. Elle avait pris silhouette humaine, mais n'appartenait pas au règne humain. Elle ressemblait à un animal, mais d'une espèce inconnue. Il y avait en elle de l'ours, du lynx, du sanglier, du loup, du cerf... On aurait dit que les âmes des animaux s'étaient unies pour former un seul grand être.

— Je suis le Maître des animaux de la forêt. Que cherches-tu ?

— Le pays Blanc. Je l'ai quitté et je ne retrouve plus son chemin. Peux-tu m'aider ?

En guise de réponse, le Maître des animaux souffla dans un cor. Un son grave s'éleva et se répandit sur la forêt qui se tapit sous l'appel. Puis un bruit de pas fit résonner le sol et les lisières vibrèrent de galops et de voix. Les animaux obéissaient à l'ordre de leur maître et une foule docile de museaux, de pelages, de crocs, de griffes et de bois se pressa bientôt autour du grand être.

— Qui d'entre vous connaît le pays Blanc ? demanda-t-il.

Personne ne répondit.

D'un geste, il dispersa sa famille puis se tourna vers le jeune homme à qui il remit une paire de skis.

— Chausse-les, dit-il. Ils t'emmèneront au château de mon frère, le Maître des oiseaux du ciel. Il demeure à cent lieues d'ici. Une fois à destination, tourne les skis en sens inverse. Ils me reviendront d'eux-mêmes. Les oiseaux ont habité les cieux avant l'apparition des animaux sur terre. Ils savent des choses que nous ne connaissons pas.

Le jeune roi chaussa, se laissa conduire et retourna les skis à son propriétaire, dès qu'il fut arrivé.

Le Maître des oiseaux du ciel, perché sur une tour de son château, l'attendait. Sa présence rayonnait dans toute sa demeure qui s'étendait sous ses ailes déployées. Son habitude du ciel immatériel lui donnait une légèreté qui manquait à son frère animal. Le roi fut intimidé par son intelligence et fit un effort pour oser demander sa route.

Le Maître des oiseaux, d'un sifflement, convoqua ses sujets. Une ombre obscurcit le soleil. Des milliers d'ailes répondaient à l'appel.

— L'un d'entre vous connaît-il le pays Blanc ? demanda-t-il.

Les oiseaux se consultèrent, s'interrogeant du

bec, mais aucun ne sut répondre. Pourtant, il y avait parmi eux de très vieux rapaces qui avaient traversé les sept cieux.

Leur maître les renvoya. Le ciel applaudit leur départ puis, le calme revenu, le Maître dit :

— Voici des skis. Chausse-les et retourne-les-moi dès que tu seras arrivé. Ils vont te conduire au château de mon frère, le Maître des poissons de la mer. Les poissons sont plus anciens que les oiseaux. Ils ont habité les flots au moment où l'eau première finissait de se partager pour créer le monde. Ils ont accès à des mystères que nous, les oiseaux, ignorons.

Le roi partit sur les skis et les renvoya comme promis.

Le château du Maître des poissons flottait sur la mer comme une fleur de lotus épanouie. Le Maître était présent, mais seule sa tête émergeait de la surface, au milieu du calice formé par les murailles en forme de pétales. Le Maître des poissons était un saumon. Il avait migré dans tous les océans et avait vu la première motte de terre émerger du cœur de la mer. C'était un être de science et de sagesse.

— Maître, lui demanda respectueusement le jeune homme, je suis le roi du pays Blanc et je me suis égaré imprudemment. Pouvez-vous me remettre dans la bonne direction ?

La mer, soudain, se couvrit de bulles et d'écailles d'argent. Le Maître venait de convoquer l'assemblée des poissons et tous répondaient à son appel.

— Qui sait où se trouve le pays Blanc ? demanda-t-il.

— Moi ! répondit un vieux brochet arrivé bon dernier. J'y suis cuisinier depuis dix ans et je m'y rendais lorsque vous avez appelé. En effet, la reine qui a perdu son époux se remarie demain et je dois organiser le festin.

Et, sans s'attarder, il reprit son chemin.

— Tu n'arriveras jamais à temps, dit le Maître des poissons au jeune homme. Sauf si tu prends cette précaution. Dans le marais, non loin, trois géants se disputent l'héritage d'un ogre, leur père. Chacun jalouse la part de l'autre et ils ne parviennent pas à s'entendre. À qui le chapeau ? À qui la cape ? À qui les bottes ? Et la querelle dure depuis un siècle. Trouve un moyen de t'approprier leurs vêtements. Les trois réunis te permettront de te rendre partout où tu voudras, sans être vu.

Le jeune roi se rendit au marais, en se laissant

guider par la dispute. Il vit les héritiers, furieux, échevelés, incapables de s'accorder.

— Je connais un moyen de vous départager, leur dit-il.

Les géants, intrigués, arrêtèrent de s'invectiver.

— C'est simple, poursuivit le roi, chaque chose contient sa vérité. Il suffit de l'écouter. Vous faites trop de bruit et votre cœur est encombré. Prêtez-moi bottes, cape et chapeau. Je vais les essayer et vous direz qui doit en hériter.

Les géants, de toute leur vie, n'avaient jamais entendu pareil langage. Ils obéirent subjugués, et le roi, une fois en possession des trois vêtements magiques, devint invisible et s'écria :

— Conduisez-moi au pays Blanc !

Pas vu, pas pris ! Il faussa compagnie aux trois ogres qui restèrent le bec dans l'eau de leur marais !

Alors qu'il fendait les airs, il rencontra Vent du nord.

— Où vas-tu ? lui demanda celui-ci.

— Je remonte vers le pays Blanc et j'ai peur de ne pas arriver à temps !

Il raconta son histoire qui émut Vent du nord.

— Je vais t'aider, décida-t-il. Mais tu vas trop vite pour moi. J'ai une mission à accomplir. Je dois balayer tous les pays que je traverse, les nettoyer de l'ignorance et les revigorer. Aussi, ne m'attends pas et, lorsque tu seras au château de ta reine, poste-toi en haut des escaliers. Quand j'arriverai, je déclencherai un tel vacarme que le nouveau fiancé sortira sur le palier. Pousse-le dès qu'il franchira la porte. Je le cueillerai à cet instant et je l'emporterai vers le néant.

La suite se déroula comme annoncé.

Le jeune homme, épuisé, parvint au pays Blanc au moment où les époux s'apprêtaient à s'engager par serment. L'assemblée des invités bruissait de joie. C'est alors qu'une furie souleva le pays, secoua le château, arrachant des portes et brisant des vitraux.

Le fiancé voulut se rendre compte et sortit scruter le ciel. Mais son rival l'attendait sur le seuil. Il le saisit par le cou dès qu'il parut, le précipita dans les escaliers où il n'eut pas le temps de valdinguer, car Vent du nord qui arrivait justement l'emporta en vol plané, par-delà les mers et les continents...

La voie était libre. Le jeune homme se présenta devant tous et la reine eut un doute. Cet homme lui rappelait un être chéri. Mais celui-ci était sec, amaigri, si différent du souvenir qui avait longtemps hanté ses nuits.

Elle s'approcha de lui et lui prit la tête à deux

mains, fouillant sa chevelure. Elle y découvrit l'anneau où elle l'avait attaché, avec son propre nom gravé.

— Mon bien-aimé, s'écria-t-elle, émue aux larmes. Ainsi, tu as su me retrouver.

Et pendant qu'ils s'embrassaient, les habitants du pays Blanc les applaudirent. Quant à l'autre fiancé, ils en avaient déjà perdu le souvenir.

Le mariage attendait. Il fut enfin célébré. Le jeune homme était roi maintenant, à part entière, sacré. Une première fois, on lui avait offert le pays Blanc. Mais il ne le méritait pas encore et il l'avait perdu.

La seconde fois, il se l'était offert lui-même, à force d'endurance et de perspicacité. Il était devenu souverain, par ses propres moyens et il pouvait régner.

MARS

LA VACHE BUKOLLA ET LA GAMINE
Conte d'Islande

Où l'on voit comment une vache disparue place toutes celles qui la cherchent devant leur vérité.

Où l'on voit une cadette réussir où ses aînées ont échoué.

Où l'on voit pour finir, que des obstacles se dressent toujours pour nous faire renoncer à la parole donnée.

Un homme et une femme ont trois filles : Sigridur, Signy, Helga. Ils habitent dans une chaumière et ne mènent pas la grande vie. Helga surtout, la délaissée des trois enfants. Toujours la première aux corvées. Toujours la dernière à table, pour manger les restes qu'on lui a laissés.

Ils possèdent une vache, une seule : Bukolla. Une vraie source de lait. Elle en a toujours à donner. Jusqu'à vingt litres par traite et on la trait trois fois par jour. Un trésor !

L'homme est pêcheur. Il sort en mer chaque jour. Il ne possède pas de bateau. Il pêche dans un tonneau et le midi, Sigridur l'aînée lui porte à manger, en naviguant elle aussi dans un tonneau, jusqu'au banc de poissons.

Ils vivent en alignant les jours sans les compter. Ils ne regrettent pas le temps passé. Ils n'espèrent pas les temps futurs. Que sont les rêves, lorsqu'on est secoué chaque jour par les marées ?

Mais les drames savent nous trouver, même quand on s'applique à vivre comme un oublié.

Un jour, en effet, Bukolla disparaît. Elle était là, au pré. Elle n'y est plus. Pourquoi est-elle partie ? Comment ? Perdue ? Kidnappée ? Par qui ? Il faut la retrouver ! Mais celui qui l'a volée n'a pas laissé son nom.

— Sigridur, tu es l'aînée. Va la chercher.

L'homme est déjà sur la mer et c'est la femme qui commande. Elle donne à sa fille un bon casse-croûte, de bons souliers en peau de phoque et une seule recommandation.

— Trouve-la !

Sigridur part. Elle marche par monts et par vaux. Sur la première butte, elle s'arrête. D'en haut, quand on crie, la voix porte.

— Bukolla ! Ma Bukolla ! Où es-tu ? Parle-moi !

Pas de réponse. Elle mange une bouchée de son casse-croûte, repart et s'arrête à la butte suivante.

— Bukolla ! Ma Bukolla ! Où es-tu ? Parle-moi !

Toujours rien. Elle mange deux bouchées de son casse-croûte, repart et s'arrête au sommet de la troisième butte.

— Bukolla ! Ma Bukolla ! Où es-tu ? Parle-moi !

Et enfin, mais de très loin, un meuglement lui parvient. C'est Bukolla ! Elle reconnaît sa voix. Elle est dans la montagne.

Sigridur engouffre trois bouchées, prend son courage à deux mains et se lance à l'assaut de sa dernière étape. Une fois dans la montagne, elle découvre une grotte. Elle se dit :

— Je parie que c'est là !

Elle entre et découvre, enchaînée devant une mangeoire de foin, sur une litière de paille fraîche, sa Bukolla.

— Tu m'as fait courir, tu sais. Maintenant, assez joué... On s'en va !

Elle s'approche pour la détacher, mais les chaînes sont trop lourdes. Impossible de les manier et Bukolla reste entravée. Que faire ?

Dans la grotte, un feu est allumé. De la viande mijote dans une marmite et une galette de pain cuit dans les braises.

— Manger donne des idées ! se dit-elle en se servant.

Elle ne réfléchit pas un instant que le repas chauffe parce que quelqu'un l'a préparé et que le feu brûle parce que la grotte est habitée. Non, elle est chez elle partout et ne se gêne pas pour deux sous. Elle dévore un morceau de viande – sa course lui a donné faim – et croque un quart du pain.

Mais elle n'a pas avalé la dernière bouchée qu'un fracas de tonnerre roule sur la montagne. Une ombre noire masque l'entrée et fait tomber la nuit dans la grotte. Une voix éclate. L'obscurité est secouée.

— Sigridur, tête sans cervelle, arrogante fille de

cul-terreux ! Ce que tu as volé, il faut me le payer, séance tenante !

C'est une femme troll.

— Hélas, je n'ai rien à vous donner, se lamente Sigridur en tremblant. À moins que si, tenez, mes bons souliers !

— Des souliers, tu as raison ! Je vais m'en faire un trophée !

En riant, elle attrape les souliers d'une main, de l'autre saisit Sigridur, lui casse le cou et la jette dans un trou qui plonge directement au centre de la terre.

Bon débarras !

Les jours passent. Dans la chaumière, la mère s'étonne.

— Elle met bien du temps ! Elle aurait déjà dû rentrer, même bredouille. C'est surprenant. Signy ! ordonne-t-elle à sa deuxième fille, pars à ton tour et ramène-les !

Comme à sa sœur, la mère lui remet un bon casse-croûte et de bons souliers en peau de phoque. Signy s'en va et, comme Sigridur, ne revient pas.

Ah !

Dans leur chaumière, l'homme et la femme

s'inquiètent. Leur vache et leurs deux filles préférées !... Ils ont tout perdu.

Helga leur propose alors :

— Laissez-moi essayer. On ne sait jamais. Où elles ont échoué, peut-être que je réussirai.

— Réussir ? raille le père de méchante humeur. Qu'est-ce que tu as déjà réussi, toi ? Explique !

— Il y a un commencement à tout, répond Helga. Je vous en prie.

— Pourquoi pas, intervient la mère. Qu'est-ce que ça coûte de lui donner la permission ? Pour ce qu'elle vaut, on ne perdra pas grand-chose, de toute façon !

Et comme à ses sœurs – non, pas tout à fait, vraiment ! – ils donnent en guise de nourriture du suif de baleine, des nageoires de poisson, des raclures de chaudron et des chaussures en couenne de requin.

Qu'importe les vexations ! Helga a l'habitude. Elle s'en va et marche d'un bon pas, par monts et par vaux. Elle escalade sa première butte et s'arrête une fois en haut.

— Mes sœurs ont mangé ici. Je vais manger aussi.

Elle croque une bouchée de suif. C'est pâteux.

Cela empeste la baleine. Helga connaît ça. Bah ! Puis elle appelle.

— Bukolla ! Ma bonne vache ! Parle-moi ! Aide-moi à te trouver.

Sa voix se perd et elle reprend sa marche.

Sur la deuxième butte, elle s'arrête à nouveau. Sur la troisième aussi. Et chaque fois, elle se nourrit de suif, croque une nageoire ou deux et appelle sa vache.

— Dis-moi où tu te caches, ma Bukolla. Je suis venue te chercher.

Et Bukolla finit par lui répondre. Sa voix a fait un long chemin à travers les montagnes. Helga reprend confiance et grimpe les versants, sans bruit, en prenant garde de ne pas déranger les esprits. À son tour, elle découvre la grotte. Elle y entre. Bukolla s'y trouve toujours. Elle voit le repas sur le feu et comprend tout. Elle sait qui habite cette grotte. Elle sait qui a volé sa vache. Elle s'approche de Bukolla sans rien déranger, sans rien manger. Elle la caresse, l'embrasse, heureuse de l'avoir retrouvée.

Mais la femme troll ne tarde pas à s'annoncer. Tremblement, fracas, obscurité... Helga ne s'affole pas.

— Alors, te voilà, Helga, futée fille de paysans ! Comme tu ne m'as rien volé, tu resteras en

vie. Au moins pour la soirée. Demain, on verra
ça !

La géante prend son repas, invite même Helga,
puis s'endort.

Le matin, à peine réveillée, elle s'en va pour la
journée. Mais avant de quitter Helga, elle la
charge d'une corvée.

— Pour t'occuper, cherche la broche que je
portais quand je vivais chez ma sœur, la reine des
Dalir.

— Où étiez-vous la dernière fois que vous
l'avez portée ? demande Helga.

— Si je le savais, idiote, je ne l'aurais pas perdue !

— Comment voulez-vous que je la trouve,
alors ?

— C'est ton affaire, fillette. Débrouille-toi ! Si
je ne l'ai pas ce soir, tu rejoindras tes sœurs au
centre de la terre !

Helga l'écoute s'éloigner et, seule, dans le
silence de la montagne, en compagnie de sa vache
prisonnière, elle se met à pleurer.

— Venir jusqu'ici pour échouer !

Ses parents avaient raison. Elle entend les mots
d'adieu de sa mère.

— Pour ce qu'elle vaut, on ne perdra pas
grand-chose, de toute façon !

Elle sanglote, la tête dans les mains. Mais soudain, elle sent qu'elle n'est plus seule avec sa vache. À travers l'eau de ses yeux, elle distingue une silhouette. La géante qui revient déjà ? Elle essuie ses larmes, vite, et découvre à quelques pas devant elle, un être monstrueux. La nausée prend à le décrire. Comment dire ? Il est difforme. Sa tête a été modelée à coups de masse. Son œil droit est à moitié fermé par la paupière, ses oreilles pendent, obstruées par des poils. Ses cheveux, en touffes clairsemées, se dressent comme l'herbe entre les rochers. Et surtout, le pire... il est vêtu d'un immense tablier de cuir racorni sur lequel s'écoule le ruisseau de morve de son nez !...

Helga recule, épouvantée. Lui, gêné de la frayeur qu'il lui inspire, lui demande comme pour se faire pardonner :

— Pourquoi pleures-tu ?

Sa voix est rude. Il essaie de l'adoucir et ses efforts sont émouvants. Helga, confuse, se reprend.

— À quoi bon parler... Tu ne pourras pas m'aider.

— Détrompe-toi. Je sais. La broche n'est pas bien loin, mais...

— Mais ?...

— Je peux même creuser pour toi, mais j'aimerais en échange... un baiser.

Il sourit, aimable. Hélas, son sourire tord sa bouche et le rend encore plus repoussant. Helga, pourtant, n'a guère le choix.

— Un baiser, dit-elle en fermant les yeux. C'est promis... j'essaierai...

Puis elle le regarde et lui rend son sourire.

— Comment t'appelles-tu ?

— Dordingull. Et toi, ton nom ?

— Helga.

— Alors suis-moi, Helga, dit-il en tournant les talons. Allons chercher la broche.

Il l'emmène au-dehors jusqu'à une cabane de guingois, nichée entre les rochers. Devant la porte, se trouvent une pelle à tourbe et une bêche. Dordingull lance un ordre :

— Palot, coupe ! Bêche, déblaie !

Et le palot obéit. Il creuse, pendant que la bêche déblaie la tourbe au fur et à mesure.

Quand les deux ouvriers s'arrêtent de forer, la broche est là. Elle brille au fond du trou.

— Prends-la, toi ! propose Dordingull à Helga. Et me donne mon baiser...

Helga se penche, saisit la broche et dit, pour gagner du temps :

— Merci pour la broche. Quant au baiser, tu

l'auras, mais pas maintenant. Laisse-moi me préparer...

Dordingull n'insiste pas, ne se met pas en colère, ne crie pas. Il se contente de disparaître, simplement.

Le soir, quand la femme troll rentre de sa journée, elle réclame, à peine arrivée.

— Alors, ma broche ?

— Elle vous attend sur votre oreiller, répond Helga.

— Holà ! Tu l'as trouvée, fillette ! Je soupçonne quelqu'un de t'avoir aidée. Faudra surveiller ça !

Puis elle se couche et s'endort.

Le lendemain matin, comme la veille, la femme troll se lève, s'apprête et, avant de partir, lance à Helga.

— Tiens, si tu ne sais pas quoi faire aujourd'hui, va donc chercher mon échiquier. Je l'ai laissé chez ma sœur, la reine des Dalir. J'ai beau le lui réclamer, pas moyen de le récupérer !

— Volontiers, répond Helga. Mais votre sœur, où habite-t-elle ?

— Trop facile, fillette ! Trouve toi-même, tu es assez dégourdie. Mais attention, si ce soir l'échiquier n'est pas là... Au revoir !

La géante s'en va sans se soucier des larmes

d'Helga. À peine a-t-elle contourné le premier rocher que Dordingull arrive.

— Ne pleure pas. Cet échiquier, je peux t'aider à le rapporter, mais...

Il hésite et soupire en la regardant.

— Mais ?... demande Helga, séchant ses pleurs.

— Tu sais bien, je voudrais en échange... un baiser.

— Oui, Dordingull. Promis, juré, tu auras ton baiser ! Mais, d'abord l'échiquier.

Dordingull ne répond pas. Il songe. Son regard se voile, triste et résigné. Puis il fixe Helga et lui dit avec une infinie patience dans la voix :

— J'ai confiance en toi.

Après quoi, il sort, suivi d'Helga.

Ils marchent toute la matinée à travers les montagnes, jusqu'à un grand château dissimulé sur un versant.

— Voilà où réside la reine des Dalir, dit Dordingull. Mais avant d'entrer, écoute mes conseils. La reine est rusée. Elle voudra t'inviter à déjeuner. Fais semblant d'accepter, mais surtout ne mange rien, pas une miette et fais le signe de croix sur les couverts et sur la nappe. Quand elle sortira chercher l'échiquier, cache trois morceaux de viande dans ton tablier. Tu les jetteras aux trois loups qui te pourchasseront.

Helga, bien prévenue, va donc frapper à la porte du château. C'est la reine en personne qui lui ouvre. Elle ressemble à sa sœur comme un rocher ressemble à un autre rocher. Sauf qu'elle porte une couronne.

— C'est votre sœur qui m'envoie. Elle veut son échiquier.

— Son échiquier ? C'est bien facile. Entre donc cinq minutes. Tu as beaucoup marché, tu dois être affamée. J'ai justement un bon déjeuner.

— Volontiers.

Helga s'assoit à table et, en douce, trace un signe de croix sur les couverts et sur la nappe, du bout du pouce. Il était temps, car déjà la reine lance ses ordres.

— Fourchette, pique et crève ! Couteau, tranche et saigne ! Nappe, enroule-toi et étouffe !

— Impossible, majesté, pleurent les trois. Son signe de croix nous a paralysés !

La reine fait celle qui n'entend pas.

— Bon appétit, fillette ! dit-elle à Helga. Mange. Je vais te chercher l'échiquier.

Elle part et revient. Mais Helga a eu le temps de cacher trois morceaux de viande dans son tablier.

— Hum ! c'était bon. Je n'ai plus faim. Merci bien !

Elle prend l'échiquier et s'en va.

À peine dehors, comme prévu, les trois loups de la reine se lancent à ses trousses. Helga leur jette leur part, à chacun. Ils la gobent d'un coup et tombent raides morts. Méchants grigous !

Le voyage de retour s'effectue sans anicroche, mais à l'arrivée, devant la grotte, Dordingull regarde Helga avec un air de reproche. La jeune fille sait ce qu'il attend. Elle voudrait se dérober. Elle est si dégoûtée.

— Pour le baiser, dit-elle, laisse-moi encore un peu de temps.

Il se tait. Il s'en va.

La femme troll rentre bientôt.

— Alors, mon échiquier ?

— Je l'ai glissé dans votre lit.

— Holà, holà ! Tu l'as encore trouvé, fillette ! Tu n'as pas pu réussir sans un précieux coup de main. Faudra que j'ouvre l'œil !

Sans chercher plus loin, elle mange, se couche, s'endort.

Le troisième jour, même scénario.

— Comme tu t'es bien baladée hier, tu vas rester ici aujourd'hui ! décide la géante avant de quitter son domicile. Fais la femme au foyer : prépare-moi à manger, retape mon lit, vide mon pot de chambre. Et ce soir, si tu n'as pas terminé mon ménage, tu sais ce qui t'attend... Bon voyage !

— Ne vous inquiétez pas, répond Helga. Vous serez satisfaite.

— C'est à toi de t'inquiéter, fillette ! s'esclaffe la troll en partant.

Pas une seconde à perdre ! D'abord le lit, ensuite le pot, enfin le repas.

Mais impossible de refaire le lit ! Les draps sont collés. Impossible de soulever le pot, il est collé aussi, comme la marmite.

Après la broche, après l'échiquier, Helga, une fois de plus, se sent découragée et fond en larmes. Et comme si le chagrin de la jeune fille avait le pouvoir de le faire apparaître, Dordingull revient. Sans un mot, il refait le lit, vide le pot et prépare la soupe dans la marmite. Pour lui, tout est facile.

Mais il ne s'arrête pas là. Il fait fondre de la poix et la verse, bouillante, dans un chaudron qu'il dissimule sous l'oreiller de la géante.

— Ce soir, explique-t-il, elle sera si fatiguée qu'elle se laissera tomber sur son lit et se brûlera dans la poix. Alors, prends son œuf de vie sous le sommier. Casse-le-lui sur la tête en prononçant mon nom et je viendrai t'aider.

— Et... c'est tout ? demande Helga.

— C'est tout ! répond Dordingull.

Et il s'en va.

Helga, soulagée qu'il n'ait pas parlé des baisers, n'insiste pas.

Le soir, comme tous les soirs, l'oiseau rentre au nid.

— Holà ! Holà ! Holà ! Voyez-vous ça, fillette ! Mon ménage n'a jamais été aussi parfait ! Mais je n'y crois pas. On t'a aidée ! Faudra que je tire ça au clair. Je m'en occuperai demain. Ce soir, je suis exténuée.

Alors, elle se laisse choir de toute sa grosse masse sur son lit et tombe dans le chaudron de poix. Splash !

— Au feu ! Je brûle ! Aide-moi.

Elle hurle. Elle se débat. Mais Helga ne l'écoute pas. Elle se glisse sous le sommier, s'empare de l'œuf de vie, le fracasse d'un coup violent sur le crâne de la géante en criant :

— Dordingull ! Dordingull ! Dordingull !

Au troisième cri, le monstre est là. Il maintient la femme dans la poix, la noie et la porte à cuire sur le feu.

Des imprécations montent du chaudron, s'échappent aussi du sol de la grotte, du gouffre qui descend au centre de la terre, auxquelles d'autres malédictions répondent, de très loin, du fond des montagnes. C'est le pays des Dalir, là-bas. La reine meurt, comme sa sœur ici. Elles partageaient le même œuf.

Helga comprend qu'elle est sauvée, mais elle n'a pas payé le prix. Vite ! Elle profite du fracas pour acquitter sa dette. Elle s'approche de Dordingull et, une fois, deux fois, trois fois, l'embrasse... et s'essuie. Voilà, c'est fait !

C'est fait, mais tout n'est pas encore dit.

Helga a osé. Elle est soulagée d'avoir tenu parole. Dordingull, lui aussi, semble apaisé. S'est-elle habituée à sa difformité ? Il ne lui paraît plus aussi hideux.

— Il fait grand nuit. Tu ne vas pas t'en aller maintenant. Dors ici, lui propose-t-elle. Le lit de la géante est assez grand pour nous deux.

C'est ainsi qu'ils se couchent ensemble et s'endorment comme des bienheureux.

Que s'est-il passé cette nuit-là ? La grotte était obscure et sans témoins, excepté Bukolla. Mais les vaches connaissent les secrets de la vie et ne les trahissent pas. Que s'est-il donc passé ? Admettons une fois pour toutes qu'on ne le saura pas. Il faut accueillir de tels mystères, s'émerveiller et surtout se taire, sans questionner.

Au matin, donc, Helga se réveille la première.

À ses côtés, Dordingull est encore endormi. Dordingull le monstre ? Non ! C'est un prince qui est allongé, beau comme les fleurs sous la rosée. Son enveloppe de monstre est chiffonnée sur le sol, comme s'il s'était dévêtu pendant la nuit.

Helga se lève, saisit la vieille peau et la brûle. Puis, elle revient vers le prince et lui verse quelques gouttes de vin vermeil sur les lèvres. La chaleur de ce vin réchauffe son sang et il ouvre les yeux.

— Helga ! s'écrie-t-il en s'éveillant à la vie. Tu m'as sauvé. Personne avant toi n'avait osé me regarder. Encore moins m'embrasser !

Il était fils de roi, victime d'un lourd passé qui ne lui appartenait pas, mais qu'il avait dû assumer.

À la fin, le conte dit qu'ils sont partis, cumulant les richesses de la femme troll et de sa sœur. Helga n'est jamais rentrée chez ses parents. Elle est devenue reine quand Dordingull a été sacré roi. Mais leur amour ne les a pas rendus ingrats et ils n'ont pas oublié Bukolla. Ils l'ont emmenée et elle ne les a plus quittés.

Personne ne me demandera mon avis. C'est pourquoi je le donne.

Certains se moqueront, en prétendant que de

tels miracles n'existent pas. Je répondrai que des miracles, parfois, se trouvent à notre portée. Pour les faire apparaître, il suffit de s'attarder sur les êtres et de les regarder, au fond.

Voilà ce que nous dit Helga, avec l'aide de sa Bukolla. Selon moi.

AVRIL

LA PRINCESSE DANS LE SOUTERRAIN
Conte de Suède

Où l'on voit une princesse cachée
sous terre et un prince appelé à la
guerre. Comme deux graines, ils
germent. Elle, dans le silence, lui,
dans le fracas. Lorsqu'ils retrouvent la lumière du jour et de la
paix, que reste-t-il de leurs serments d'amour ?

Une fille de roi était en âge de se marier et tous les jeunes gens en âge de la séduire venaient la courtiser. Dans la foule des prétendants, elle en remarqua bientôt un et ce fut lui dorénavant qu'elle écouta et suivit pas à pas.

Ils se fréquentèrent assez longtemps pour se connaître et décider de faire cause commune devant la vie. Le destin n'attendait que cet instant. Pareil aux éclaircies du ciel qui offrent le soleil pour mieux l'effacer derrière les pluies, il prête plus souvent qu'il ne donne, lui aussi.

Des orages, en effet, s'avançaient vers ces amours d'enfants. Des misères, des tourments : la guerre, rien moins, et le roi qui craignait pour sa fille voulut la préserver.

— Je sais de quoi les envahisseurs sont capables, lui dit-il. Je vais te mettre à l'abri. Ils ne te trouveront pas.

Il fit creuser un vaste souterrain dans la forêt où elle serait enfermée avec une servante, un chien, un coq pour décompter les jours et les nuits et des provisions pour des années.

Avant de se quitter, les deux jeunes gens se rencontrèrent une dernière fois.

— Qui sait quand nous nous reverrons ? dit la princesse à son amant. Et comment nous ressortirons, toi de la guerre, moi de la terre ?

En soupirant, elle lui fit présent d'un napperon de dentelle et d'un tissu d'or et d'argent.

— Je n'ai pas eu le temps de les terminer, se désola-t-elle. Le napperon est taché et le brocart encore en chantier. Si la vie doit nous séparer et que tu épouses une autre femme que moi, choisis celle qui saura laver la dentelle et achever le tissage. Jure-le-moi. Seul l'amour peut accomplir de tels exploits.

Le prince jura qu'il lui obéirait et plia ses cadeaux avec précaution. Puis, on ensevelit la jeune fille et, sur la terre remuée, on sema du gazon.

Le temps passa, la guerre fit rage. La chance avait pris le parti de l'agresseur. L'armée du roi fut décimée et son chef exécuté. Le prince échappa au carnage par miracle, mais le royaume fut dévasté et le château pillé, puis incendié.

Rien ne filtra sous la terre : ni fracas de bataille, ni hurlement d'horreur. La princesse, mise à germer comme une graine, ne se doutait de rien dans le silence feutré de son caveau.

Malheureusement, au fil des années, les provisions diminuèrent. Un jour, elles vinrent à manquer et les deux femmes n'eurent plus rien à se mettre sous la dent. Il y avait bien le coq. Mais comment se défaire d'un si fidèle compagnon ?

La faim leur donna des arguments et un matin, après un dernier chant, elles le tuèrent. Pis-aller ! car, privées de leur horloge, elles perdirent la notion du temps, la servante surtout, qui en mourut.

Alors, seule avec son chien, la princesse tenta le tout pour le tout et résolut de sortir de son trou. Armée d'un couteau, elle gratta la terre et, en trois jours, fora un tunnel qui l'amena à la surface.

Une nouvelle vie commençait ! Les années de solitude l'avaient aguerrie et changée en femme épanouie. Elle revêtit les habits de sa servante, plus commodes et moins voyants que les siens, puis elle se mit en route avec son chien.

La forêt paraissait plus vaste que jadis, plus sombre et, après des jours d'errance où elle ne rencontra rien de particulier, la princesse aperçut une fumée. Quelqu'un faisait un feu. Qui ? Elle s'approcha.

C'était un homme des bois, un charbonnier qui sentait la terre, les arbres et le brûlé. Il venait d'achever sa provision de rondins et s'apprêtait à construire sa meule. Les charbonniers avaient mauvaise réputation. De noires rumeurs circulaient sur leur compte, mais la princesse ne se laissa pas effrayer. Elle avait faim. Elle demanda :

— Je peux t'aider à cuire ta fournée, si tu veux.

En échange, je ne veux rien. Qu'un peu de nourriture que je partagerai avec mon chien.

Le charbonnier qui n'avait pas besoin qu'on l'aide accepta néanmoins, étonné par cette femme qui ne parlait pas comme une servante.

Le bois prit une semaine à se changer en charbon et, pendant qu'il se consumait, le charbonnier et la princesse faisaient la conversation.

La jeune femme apprit ainsi ce que son royaume était devenu : son père mort, son fiancé disparu. Quant au détail de la vie depuis, le charbonnier fréquentait peu et les nouvelles ne pénétraient jamais au fond de la forêt.

— Décidée comme tu l'es, confia l'homme à la princesse, tu trouveras facilement du travail au château.

Dès que le charbon fut stocké, elle suivit son conseil et prit congé.

Elle n'alla pas bien loin. Après quelques heures de marche, elle s'arrêta, immobilisée par un immense lac. Sur l'autre rive, en face, elle apercevait le château. Mais comment traverser sans bac, car elle ne savait pas nager ?

Un grand loup gris sortit alors de la forêt et s'approcha avec une proposition.

— Permets-moi de dévorer ton chien. Je te

promets en échange de donner un coup de pouce à ton destin !

La princesse se fâcha.

— Pour se mettre quelque chose sous la dent, les loups sont capables d'inventer n'importe quel boniment !

Mais le chien avait déjà décidé et s'avançait à la rencontre du loup pour offrir à sa maîtresse un dernier témoignage de fidélité.

Le fauve se jeta sur lui, le mangea et dit :

— Monte sur mon dos, princesse et agrippe-toi à mon cou. Je tiens toujours mes promesses quand on acquitte le prix.

Elle n'eut pas le temps de lui demander comment il savait qu'elle était une princesse car, à peine enfourché, le loup bondit dans les airs et traversa le lac. Lorsqu'elle posa le pied sur l'autre rive, la bête disparut ainsi que l'eau. Il ne restait que le château. Elle s'approcha pour proposer ses services.

— Tu tombes bien, lui répondit une servante. L'ouvrage ne manque pas. Depuis que notre maître a décidé de se marier, c'est un défilé ininterrompu de fiancées. Elles viennent toutes se présenter aux épreuves et, pendant qu'elles attendent leur tour, il faut être avec elles, aux petits soins et faire leurs quatre volontés... Quel tintouin !

— Quelles épreuves ? demanda la princesse.

— Trois fois rien ! Nettoyer une dentelle et terminer un tissage. Bagatelle ! Mais ces demoiselles de la haute n'ont jamais rien fait de leurs dix doigts. Pas une seule, jusqu'à maintenant, n'a réalisé de sans faute !

La princesse n'écoutait plus. La surprise, l'émotion... Ainsi, son fiancé était encore en vie. Il était roi, régnait dans son propre pays et il l'aimait toujours puisqu'il restait fidèle à son serment d'amour.

L'image du loup se glissa dans ses pensées. Il la connaissait, c'était certain. Il l'avait déposée à pied d'œuvre et n'avait pas parlé en vain. Qui était-il ? Un de ces esprits de la forêt profonde, chargé d'assister chacun et de veiller sur le monde ? Il avait disparu, mais demeurait caché, toujours prêt à l'aider. Elle le sentait.

— Comment revoir mon bien-aimé ? murmura-t-elle. Comment l'approcher, me faire reconnaître ?...

Une candidate au mariage arrivait justement, dans une nuée de suivantes et de pages. Une presque reine, sans nul besoin. Qu'importe ! La princesse se précipita et offrit ses services, au culot.

— Madame...

Elle n'eut pas le temps de prononcer deux mots, qu'elle fut engagée aussitôt.

— Au juste, quel est ton nom ?

— Asa[1] , Madame.

— C'est bon !

La dame emménagea dans ses appartements et, quand vint son tour de concourir, on la fit entrer dans la pièces du métier à tisser, puis on se retira.

En voyant le brocart inachevé, elle comprit aussitôt qu'elle n'était pas capable de le continuer. Elle n'avait ni le savoir, ni l'habileté. Mais reconnaître son incompétence et l'accepter était au-dessus de ses capacités. Rouge de dépit, elle étouffait et sortit prendre l'air un instant.

Lorsqu'elle revint, une surprise l'attendait. Le brocart était plus grand !

— Qui est entré ? Je ne rêve pas, quelqu'un a bien continué.

On ne voyait aucune différence, en effet, entre l'ancien tissage et le nouveau.

Elle mena son enquête et découvrit bientôt que son ouvrière inconnue était Asa la discrète.

---

1. Les Ases sont une des deux grandes familles de dieux scandinaves. Le conte, en donnant ce nom à la princesse, nous indique donc très clairement qu'elle est protégée par les dieux.

D'abord, elle simula l'étonnement.

— Tu as fait cela, toi ? Montre-moi.

Puis, devant l'évidence, elle la couvrit de compliments pour mieux l'amadouer.

— Continue pour moi ce travail, en secret. Je saurai te récompenser.

La princesse accepta et, jour après jour, le brocart s'allongea.

La nouvelle se répandit dans le château. Un vent de folie.

— La dernière candidate est bien placée... Elle ne tardera pas à remporter l'épreuve.

La rumeur parvint au roi qui voulut juger sur pièces. Mais chaque fois qu'il pénétrait dans l'atelier, l'ouvrière s'était envolée. Il ne pouvait que constater que les bruits étaient fondés.

— Je n'aime pas que l'on me regarde travailler, mentit la simulatrice, quand il lui demanda de s'expliquer.

— Elle est timide, songea le roi. Laissons. Nous verrons jusqu'où elle ira.

Il ne tarda pas à voir, car le brocart fut achevé peu après.

Quel coup de théâtre ! Aucune prétendante n'avait encore franchi ce cap et le mariage n'avait jamais été si près de se conclure.

Après le brocart vint donc le napperon et,

comme pour le tissage, la favorite fut conviée à l'épreuve du lavage. Elle s'y présenta, confiante, et se laissa installer dans la buanderie. Auparavant, elle avait interrogé Asa sa servante.

— Es-tu aussi habile au lavage qu'au tissage ? lui avait-elle demandé.

— Je crois que oui, Madame.

Aussi, une fois seule, la concurrente ouvrit la porte de derrière et laissa la place à son joker.

La princesse, émue, prit le napperon entre ses mains. Il n'avait pas changé. Elle le retrouvait tel qu'elle l'avait confié. C'est elle qui n'était plus la même. Elle s'en rendit compte en admirant son ouvrage de dentelle. Sa longue nuit d'attente l'avait transformée et son amour s'était fortifié. Elle aimait plus que jamais et la tache qui souillait le napperon disparut, sans qu'elle fasse rien, effacée simplement par son cœur qui battait.

Lorsque sa maîtresse revint pour vérifier si le travail avançait, elle poussa un cri de triomphe et, preuve en main, se précipita chez le roi qui n'en revenait pas.

— Bien, Madame ! reconnut-il, beau joueur. Je n'ai qu'une parole. Je vais vous épouser.

En même temps qu'il parlait, il entendait les paroles de sa bien-aimée, autrefois : « Seul l'amour peut accomplir de tels exploits ! »

Mais il ne sentait pas l'amour chez celle qui se réjouissait.

— Sa timidité, sans doute, songea-t-il. Elle se retient.

On prépara la cérémonie néanmoins et la fête, dans tout le royaume, battit son plein dès l'annonce de ce jour béni. Asa la servante, promue au rang de confidente par sa maîtresse qui ne la quittait plus, assistait aux préparatifs avec mélancolie. Pourtant, elle ne regrettait rien. Elle avait agi selon son cœur, avec justesse, en tous points.

— Si l'occasion devait se représenter, je recommencerais sans une hésitation.

Elle ne croyait pas si bien dire, car l'occasion se représenta, prenant son temps, choisissant le jour et l'heure : le matin même de la noce ! La mariée fut incapable de se lever. Clouée au lit par un mal de ventre atroce !

— Prends ma place, ordonna-t-elle à sa servante. Pas question de repousser ce mariage. Passe ma robe nuptiale, couvre-toi de mon voile. Tout le monde n'y verra que du feu !

Asa obéit et se retrouva sur un cheval magnifiquement paré, à chevaucher aux côtés de l'amour de sa vie qui ne soupçonnait rien.

Le trajet du château à l'église passait par des lieux qu'ils avaient fréquentés jadis, quand ils étaient heureux. Un pont de pierre, tout d'abord. Ils s'étaient promis de le franchir le jour de leurs noces, car on prétendait qu'il s'écroulerait si une mariée royale le traversait sans être de noble lignée. Le prince avait taquiné sa princesse à son sujet.

— Les ponts de pierre[1] disent toujours la vérité. On verra si tu ne m'as rien caché.

À l'approche du pont, la princesse chuchota :

— La vérité avance voilée et je ne puis la divulguer. Pont, tu la révéleras, mais personne ne te comprendra.

— Que murmures-tu, ma bien-aimée ? lui demanda le roi.

— Rien d'important, je parle à Asa ma servante.

Plus loin, ils passèrent devant les ruines du château où la princesse avait vécu.

— Les herbes folles et les buissons ont remplacé les fleurs et le gazon, soupira-t-elle. J'ai brassé l'hydromel ici et la bière. De cette vie, il ne reste plus désormais pierre sur pierre.

---

1. Cette pierre est une pierre ordalique, c'est-à-dire qu'elle est sacrée et capable d'énoncer un jugement divin. Elle est un souvenir de *la pierre de Fal*, un des attributs de souveraineté que les rois d'Irlande allaient conquérir dans les *îles au nord du monde* et qui fondait leur légitimité. Les Vikings qui ont créé la ville de Dublin vers 831 connaissaient bien les Celtes et les traditions de ces deux peuples se sont influencées mutuellement. C'est pourquoi on trouve des traces de la culture celte dans ce conte scandinave.

— Que dis-tu, ma bien-aimée ? demanda pour la deuxième fois le roi.

— Rien. Des conseils que je donne à Asa. Rassure-toi.

Ils croisèrent ensuite un tilleul, au port majestueux. Ils s'y rencontraient autrefois, en secret, rêvaient, formaient mille projets.

— Arbre de la fidélité, tu as recueilli tous mes serments et ton feuillage a abrité les premiers baisers de mon amant.

— Parle plus fort, je n'entends pas. Que dis-tu, ma chérie ?

— De simples mots de réconfort, pour ma servante, Asa.

Leurs montures bifurquèrent soudain et conduisirent le cortège à travers la forêt. Aux abords du souterrain où elle avait été enfermée, le roi demanda à sa compagne une histoire pour le distraire.

Alors, pour la première fois, la princesse parla haut et clair.

— J'ai été enterrée pendant sept ans, avant de reprendre pied dans le monde des vivants. Hier courtisée, aujourd'hui solitaire, j'ai oublié les contes de mon enfance et affronté le désespoir, la misère. Un charbonnier m'a redonné confiance, puis un loup m'a ouvert le chemin. Mais je ne peux dire ce que sera demain.

— Que dis-tu, mon amie ? Je t'entends, mais tes paroles sont aussitôt brouillées par le vent.

— Il les emporte à Asa ma servante qui les comprend.

Lorsqu'ils arrivèrent à l'église, la princesse laissa échapper un dernier soupir.

— Ici, j'ai senti l'eau sur mon front, reçu de ma marraine un nom : Rosa. Je reviens, déguisée en amante, sous l'apparence de la servante Asa.

Ces derniers mots se perdirent dans le fracas des trompettes qui annonçaient le début de la cérémonie. Les portes de l'église s'ouvrirent et le cortège s'engouffra dans la nef, mariés en tête, suivis de jeunes filles en fleurs, de garçons d'honneur, de têtes couronnées et d'une flopée d'invités parfumés.

Les jeunes mariés échangèrent leurs promesses, leurs alliances et, lorsque le mariage fut célébré, la mariée refusa de se dévoiler si bien que personne ne put voir son visage. Quel tollé !

— Toujours sa timidité, pensa le roi. Ne la bousculons surtout pas.

Et en gage de confiance, il lui offrit devant toute l'assemblée une ceinture d'or qu'il attacha autour de sa taille. Cette ceinture comportait un détail. Le roi seul pouvait la fermer et l'ouvrir à volonté et personne ne pouvait la forcer...

Les invités, ensuite, furent conviés aux festivités et au banquet qui occupaient le reste de la journée.

A peine au château, la mariée profita de la foule pour s'éclipser. Elle se précipita au chevet de sa maîtresse qui piaffait d'impatience. Son mal de ventre était guéri.

— Vite, redonne-moi ma robe. Il faut que l'on me voie, avant que mon absence n'éveille les soupçons.

La princesse reprit ses habits de servante et vit partir sa maîtresse, pimpante et dévoilée, pour mieux recueillir les compliments.

En début de soirée, le roi qui s'était beaucoup donné à ses invités retrouva son épouse. Il lui dit :

— Au fait, ma chérie, quand nous avons franchi le pont, ce matin, tu murmurais sous ton voile. Que disais-tu ?

— Je murmurais ? s'étonna la femme en rougissant. Moi ? Tu es sûr ?...

— Tout ce qu'il y a de certain !

— Mais oui, c'est vrai, cela me revient... Mais, zut, cela m'échappe encore. Attends, je vais demander à Asa.

Elle courut à ses appartements, questionna Asa et revint rayonnante.

— Bien sûr, c'était évident. Je disais simplement : « La vérité avance voilée et je ne puis la divulguer. Pont, tu la révéleras, mais personne ne te comprendra. » Voilà ! fit-elle après avoir récité sa leçon.

— Et qui aurait dû comprendre ?

— Personne... Je ne sais pas... Je parlais comme ça.

Le roi négligea cette réponse, mais posa une nouvelle question :

— Et devant l'ancien château, tu sais... Là aussi, tu as parlé.

— J'ai parlé ? Vraiment... Cela a dû m'échapper.

— Peut-être, mais pas à moi !

— Je vais aller voir Asa. Elle se rappellera sûrement. Ne bouge pas.

Elle repartit embarrassée. Elle revint soulagée.

— Je ne sais pas où j'avais la tête. Asa a bonne mémoire, heureusement. Je disais : « Les herbes folles et les buissons ont remplacé les fleurs et le gazon. J'ai brassé l'hydromel ici et je ne sais plus quoi... De cette vie, il ne reste plus de bière... » ou quelque chose comme ça !

— De quelle vie parlais-tu ?

— D'aucune en particulier. Je voulais juste dire que le monde avait changé.

Mais quand le roi avait une idée, il n'en démordait pas. Il revint à la charge.

— Et quand nous passions auprès du tilleul, tu chuchotais à voix basse. Je n'ai rien entendu, mais tu semblais émue. Que disais-tu ?

— Oublié ! répondit la menteuse. Complètement oublié ! Je vais voir si Asa se souvient.

Quelques minutes après, elle arriva, essoufflée.

— C'est fou comme l'émotion peut me faire perdre mes moyens, s'écria-t-elle avec un rire forcé. Au passage du tilleul, j'ai dit textuellement ceci : « Arbre de la fidélité, tu as recueilli tous mes serments et ton feuillage a abrité les premiers baisers de mon amant. »

— Diable ! fit le roi en souriant. Et qui était cet amant ?

— Heu... personne... C'est un refrain de mon enfance... Il m'est revenu à cet endroit. Va savoir pourquoi !

— Je crois connaître la raison, répondit le roi, l'air sérieux.

Et sans lui laisser le temps de se reprendre, il poursuivit.

— Je t'avais bouclé une ceinture à la taille. Je ne la vois plus.

— Ne t'inquiète pas, elle n'a pas disparu. Elle me serrait. Je l'ai confiée...

— À Asa, je sais ! l'interrompit le roi. Va donc me la chercher.

L'usurpatrice sentit qu'elle était démasquée, mais il était trop tard pour se dérober. Elle obéit, ramena sa servante et, devant tous les invités, subit l'autorité du roi.

— J'ai offert cette ceinture à la femme de ma vie. Elle ne doit pas s'en défaire et la porter toujours. C'est un serment d'amour, plus puissant que l'anneau que l'on se glisse au doigt. Si tu es celle qui l'a reçue, reprends-la.

La femme fit un geste vers la taille d'Asa, puis renonça et tomba à genoux, avouant son imposture et suppliant.

— Va-t'en ! ordonna le roi. Toi et tes gens ! Sur-le-champ !

Un frisson parcourut l'assemblée, une clameur enfla puis se tut, car le roi s'adressait maintenant à la petite servante.

— Et toi, me diras-tu qui tu es ?

— Je suis celle qui a chevauché à tes côtés, répondit la princesse de sa voix fluide ; celle qui murmurait ses regrets ; celle qui n'a jamais cessé de t'aimer ; celle que tu as embrassée sous le tilleul ; celle que tu n'as jamais oubliée, au point d'avoir espéré son retour pendant sept longues années.

À mesure que la princesse parlait, le roi sentait sa vie passée s'épanouir en lui, comme un jardin flétri qui se détend sous la pluie. Son amour débordait de son cœur et cette crue ne demandait qu'à inonder son royaume de bonheur.

— Toi, mon aimée ! C'est toi !

— Moi, ton aimée ! C'est bien moi...

Ils tombèrent dans les bras l'un de l'autre et s'embrassèrent longtemps, serrés, sous les vivats !

Et cette histoire doit se terminer là, car le reste ne nous regarde pas.

Ils avaient tant d'années à rattraper, tout le détail de leur patience à se confier, des souvenirs à raviver, un avenir à inventer, leurs deux cœurs à ouvrir et la ceinture à déboucler, avec une joie feutrée par leurs murmures et leurs baisers.

MAI

PRODIGE
Conte du Danemark

Où l'on voit une princesse, victime de sa belle-mère, ensorcelée par un fromage et abandonnée dans la forêt.

Où l'on voit aussi que la méchanceté, comme une pierre jetée en l'air, retombe toujours sur la tête de ceux qui l'ont lancée, avec une force décuplée.

Les rois sont des flambeaux. En tête du cortège de leurs sujets, ils éclairent le chemin et subissent, les premiers, les caprices du destin. Leurs peuples qui les suivent les voient se réjouir ou souffrir. Lorsque vient leur tour de subir, ils comprennent que les joies de leurs vies ou leurs chagrins sont leurs parts à la table d'un festin commun.

Ainsi du roi de cette histoire !

Il était veuf, avec une fille, sa petite princesse chérie. Il rencontra un jour une reine, veuve comme lui, avec sa fille, princesse aussi. L'amour les poussa à recoller les deux moitiés brisées de leurs familles pour reformer une unité. Aïe ! C'est là que le bât blesse. Les moitiés s'accordaient mal et les différences sautaient aux yeux, chez les enfants principalement.

La fille du roi était une fleur épanouie. Celle de la reine, un bouton rabougri. La première était franche, gaie, espiègle. La seconde, rusée, calculatrice, sournoise. L'une donnait envie de sourire, l'autre de grimacer. Et comme l'humeur des parents dépend souvent de la réussite des enfants, la reine jalousa sa belle-fille et la détesta, au point de décider un jour de s'en débarrasser.

Toutefois elle était habile et elle chercha comment le roi son mari pourrait prendre la décision à sa place. Elle se rendit chez une vieille qui vivait seule, à l'écart de la cité. Cette femme était savante, connaissait le pouvoir secret des choses, fabriquait des philtres, des onguents, des potions. Elle savait que l'équilibre entre santé et maladie est instable et que passer du bien au mal n'était souvent qu'une question de dosage.

Après avoir écouté la reine, contre un bon salaire, elle accepta de franchir la frontière.

— Dans une semaine, promit-elle, je vous aurai préparé une arme redoutable.

La reine s'en alla, puis revint, le délai écoulé. Un paquet l'attendait, enveloppé dans des feuilles fraîches de chou.

— C'est un fromage caillé, Majesté, dit-elle en le démaillotant. Je l'ai confectionné avec le lait des femelles de la forêt : lait d'ourse, de biche, de renarde, de laie, de louve, de hase, de musaraigne. Faites-le consommer à la princesse, tranche par tranche, chaque matin, à jeun. Il produira un effet surprenant et vous serez débarrassée de vos tourments.

La reine suivit les prescriptions de la savante à la lettre et changea de comportement. Elle était brusque avec la princesse, toujours impatiente. Elle devint aimable, prévenante et elle prit l'habitude de la réveiller le matin, aux petits soins.

— Reste couchée, ma chérie. Ne te fatigue pas.

Et elle lui offrait une tranche de fromage au lait caillé, avant son petit déjeuner.

— C'est excellent pour le teint lorsqu'on le mange à jeun. Tu m'en diras des nouvelles.

La princesse obéissait, polie. Mais lorsque le fromage fut consommé, la reine se désintéressa d'elle.

— Retour à la normale, ma belle !

L'effet ne tarda pas. Quelques jours après, le visage de la princesse se parsema de taches sombres. Puis elle ressentit des nausées, souvent au cours de la journée, mais aussi le matin, au lever. Elle grossissait et surtout, une voix parlait en elle, dialoguait avec son cœur en cadence. Une impression étrange. Il lui semblait être deux.

La reine reconnut ces indices la première. L'arme était redoutable, en effet. Elle s'empressa d'annoncer la nouvelle à son mari.

— Ta succession est assurée, mon chéri ! Ta fille attend un héritier !

— Quoi ! s'exclama le roi. Elle est enceinte ! … Mais de qui ? Elle est sans mari, sans amant.

— N'empêche qu'elle attend un enfant !

Sans barguigner, le roi la fit examiner par ses docteurs.

— Aucun doute, Majesté ! affirmèrent-ils, catégoriques, en chœur.

Le roi était furieux. Cette grossesse, c'était une tromperie, une trahison et, pendant plusieurs jours, le monarque harcela sa fille de questions. Qui ? Quand ? Où ? Pourquoi ? Comment ? Et devant ses silences et son embarras, il insistait, posant les mêmes questions, mais dans un ordre différent.

— Je ne sais pas, père ! pleurait la princesse. Je suis innocente.

— Tous les coupables crient leur innocence, persiflait la reine. C'est la preuve !

En tête à tête, elle relançait le roi.

— Elle te compromet. Tu devrais la châtier sévèrement.

L'idée fit son chemin et le roi décida enfin, mais à regret :

— Elle doit mourir !

Il confia cette mission à l'un de ses fidèles.

— Emmène-la, perds-la dans la forêt, tue-la, puis rapporte-moi une mèche de ses cheveux et sa langue pour que son cadavre ne parle pas.

Le jour même, muni de provisions, le serviteur emmena la princesse.

— Où allons-nous ? demanda la fille qui redoutait un mauvais coup.

— Si le maître ne vous a rien dit, demoiselle,

ce n'est pas au valet de bavarder comme une don-
zelle !

Il lui parlait avec rudesse, accumulait de la
colère pour être capable d'accomplir sa sale
besogne. Mais à mesure qu'il cheminait, la compagnie si agréable de la jeune fille lui fit mesurer
sa bassesse. Son futur crime, malgré la volonté du
roi, lui parut épouvantable.

— Peut-on désobéir quand un ordre est
injuste ? songeait-il.

La princesse sentait son trouble. Alors qu'ils
croisaient un berger et ses moutons, elle joua son
va-tout.

— Si tu dois massacrer un innocent, achète un
agneau, tue-le à ma place et préserve ton salut !

Le serviteur ne se fit pas prier. Il négocia le prix
d'un agneau, l'immola en secret, préleva sa
langue, coupa une mèche de la princesse, avec
respect, et lui dit avant de la quitter.

— Prenez les provisions, je ne veux rien garder. Allez ! Trouvez refuge en la forêt profonde
et puisse la providence vous protéger. Adieu !

Il regagna le château de son maître et lui remit
les preuves demandées. Ainsi, le scandale était
évité, le roi était satisfait et la reine triomphait.

Une fois seule, la princesse marcha en suivant

un sentier. Mais bientôt, elle s'arrêta, immobilisée par les fourrés. La forêt qui voulait la garder se refermait sur elle. Désemparée, elle fondit en larmes et tomba à genoux. Pour ne rien arranger, le soir descendait, ajoutait à l'obscurité du bois, au noir de ses pensées. Des bêtes l'avaient sûrement repérée, se passaient le mot sous le couvert de la végétation. Une proie s'offrait, facile à dévorer...

— Qu'elles viennent vite et qu'on en finisse. Je n'opposerai aucune résistance...

Brisée par le chagrin, elle s'endormit sur ces pensées.

Pourtant, le lendemain, elle se réveilla vivante et soulagée. Le soleil lançait ses flèches à travers les feuillages et la forêt, lugubre la veille, était devenue accueillante, bercée par les oiseaux musiciens. Un jour nouveau semblait s'être levé. Par quel miracle ? La princesse considérait sa situation avec sérénité. Elle se sentait légère, soulagée d'un fardeau et décida de sortir de la forêt. Mais elle n'avait pas fait trois pas, qu'une voix, derrière elle, l'arrêta. Une voix rugueuse et hésitante. Comme si un arbre parlait.

— Abandonné pas moi, mama...

Elle se retourna, saisie par un frisson et découvrit un être étrange qui la suppliait.

— Abandonné pas moi, mama... répéta-t-il en ponctuant ses mots de gloussements plaintifs.

Il ressemblait à un humain, se tenait debout comme un humain, écorchait le langage à la manière d'un humain débutant. Mais il était sauvage, comme enfanté par la forêt et son physique rappelait l'animal.

Son nez était allongé comme un museau de loup, ses mains griffues, ses bras longs, pareils aux pattes puissantes de l'ours. Ses jambes frêles lui donnaient le port de la biche, ses yeux vifs tenaient de la musaraigne et sa chevelure rousse et drue faisait penser à la toison d'un renard.

— Maman ? s'étonna la princesse. C'est moi que tu appelles maman.

— Porté là moi, mama... dit-il en désignant son ventre.

Ce qu'elle comprit l'effraya. Sa légèreté, le fardeau de son corps soudain disparu, c'était... cet être-là ! Elle l'avait porté en elle... Son enfant ! Et les présences qu'elle avait senties lorsque la nuit tombait... les femelles de la forêt qui venaient l'aider à accoucher... Comment était-ce possible ?

— Mangé caillé, mama... répondit l'enfant qui comprenait le trouble de sa mère.

Elle s'approcha de lui, incrédule. Elle était tombée enceinte... d'un fromage !

— Cela tient du prodige, murmura-t-elle en le dévisageant.

L'enfant rit aux éclats. Le mot lui plaisait.

— Prodige ! reprit-il en se frappant la poitrine. Prodige !

Elle le prit dans ses bras.

— Prodige, mon petit. Je t'aime quel que tu sois.

Les jours passèrent. La mère et l'enfant ne se quittaient pas. Elle lui apprenait le langage des hommes ; lui, celui de la forêt, des arbres, des animaux, des pierres. Chaque soir, il dressait une hutte de branchages et ils s'endormaient sur un matelas d'herbes et de fleurs, en regardant glisser la lune à travers les feuillages.

Un matin, il s'en alla.

— Prodige construire maison !

Un château se trouvait non loin de là. Il le savait. Il s'y rendit et réclama des planches et des outils.

— Une maison pour ta mère ! s'esclaffèrent les valets. Mais si elle te ressemble, une tanière lui conviendrait mieux.

Prodige, blessé par leurs moqueries, se fâcha.

— Prodige ! gronda-t-il en brandissant sa

main droite. « Mama ! », en brandissant la gauche. Puis il les réunit en les serrant fortement.

— Prodige ! Mama ! La vie !

La colère l'empêchait d'utiliser les phrases toutes neuves que sa mère lui avait apprises et les valets, impressionnés par sa force sauvage, essayèrent de l'amadouer. Ils lui apportèrent des outils usagés et du bois jeté au rebut.

Prodige pulvérisa ce vieux bois et leur jeta les outils à la figure.

— Belles planches ! Bonne scie !

— D'accord... d'accord... on a compris, consentirent les valets, épouvantés.

Ils lui proposèrent alors leur propre matériel : hache, serpe, scie, doloire, ciseaux, bédanes, tarières... Tout ce qu'il fallait pour abattre des arbres, débiter des planches, façonner des ajustages.

Chacun fut soulagé de le voir s'éloigner.

Sa construction l'occupa quelque temps et, lorsqu'il eut terminé, il revint à la charge. Après le gîte de sa mère, il se préoccupait maintenant de son couvert et il se rendit aux cuisines.

— À manger pour ta mère ! ironisa le cuisinier. Mais si elle te ressemble, la gamelle des chiens la satisfera bien !

Et il demanda qu'on lui remplisse un baquet des reliefs qu'on ramassait sous les tables.

Prodige, humilié, s'assombrit. Il balaya la table des légumes qui venaient d'être lavés, renversa les saucières, jeta dans les braises le rôti qui dorait sur sa broche et à la fin, comme la première fois, brandit ses mains.

— Prodige ! Mama ! Reine et Roi ! Vrai manger !

— D'accord... d'accord... j'ai compris ! s'excusa le cuisinier terrorisé.

Il lui prépara des morceaux de choix qu'il disposa dans des plats de porcelaine, comme il aurait fait pour son maître le roi.

Mais il n'était pas au bout de ses peines, car le lendemain, Prodige revint aux fourneaux présenter ses plats vides pour qu'on les remplisse à nouveau. Et le surlendemain, et chaque fois qu'il avait faim...

À force de le voir aller et venir, les domestiques s'habituèrent à sa présence. Ils ne le craignaient plus et discutaient souvent avec lui, car il parlait de mieux en mieux. Un mystère les tenait en haleine, qu'ils auraient bien voulu percer : sa mère ! À quoi ressemblait-elle pour avoir enfanté un tel phénomène ? Mais, dès que Prodige flairait leur curiosité, il redevenait sauvage et les intimidait dans son ancien langage :

— Prodige ! Mama ! La vie !

Un jour, il réclama pour elle des travaux de couture.

— Mama, expliqua-t-il, refuse les aumônes et veut payer sa nourriture.

Mais on ne savait rien des qualités de la couturière et, par précaution, on proposa au fils des livrées dépenaillées, des guenilles mangées par les mites.

Prodige fit tonner sa voix de forêt.

— Prodige ! Mama ! Reine et Roi !

— D'accord... d'accord... compris.

Et on lui proposa des chemises de lin, des robes et des pourpoints.

Le travail exécuté, quand Prodige le rapporta, laissa tout le monde pantois ! On n'avait jamais vu de points si fins, si serrés, si réguliers. Dans cette famille, les prodiges semblaient courants et la mère, en effet, ressemblait bien à l'enfant. Dorénavant, on ne lui confia plus que les travaux les plus délicats, les étoffes les plus fines, les vêtements les plus somptueux. Et toujours, l'inconnue des bois s'acquittait de sa tâche avec maestria.

— Non, non ! répondait Prodige quand on

parlait de rémunération. Nourriture contre couture. Cela suffit !

Le roi s'intéressa à lui et lui proposa un jour de l'engager.

— Bouffon, cela te dit ?

Il avait le physique de l'emploi, sans parler du secret dont il entourait sa vie, du mystère de ses origines.

— Vraiment, tu ferais un fou accompli !

Prodige accepta et le roi qui devait partir en voyage chez un autre roi son voisin, demander sa fille en mariage, lui proposa de l'emmener dans ses bagages.

— À condition qu'en mon absence, ma mère ne manque de rien, objecta le bouffon.

— Ne t'inquiète pas. Chaque jour, un serviteur lui portera ses repas.

— Pas question ! Avant mon départ, je veux emmagasiner chez elle des provisions. Sans quoi, ne comptez pas sur moi.

Prodige bluffait. Il voulait absolument accompagner le roi pour empêcher ce mariage qui contrariait ses projets. D'un autre côté, il tenait à protéger sa mère des indiscrets. Mais il joua si serré que le roi fit ses quatre volontés.

— Accordé ! décida-t-il. Occupe-toi de ses réserves pendant que je prépare mon départ.

Tout fut réglé en une petite journée et, le lendemain, le roi et son escorte se mirent en chemin. Prodige n'avait pas de monture. Encore moins de strapontin dans le carrosse. Il préférait courir sur la route, rouler sa bosse comme un chien, amusant la galerie avec grimaces et pitreries.

Au château du roi voisin, il fit sensation. Il éblouit la cour et se débrouilla si bien, improvisant mille tours, qu'on le laissa aller, venir, sans se méfier de lui.

Cette familiarité était indispensable à son plan.

Pendant le repas de fiançailles, il n'était pas à la table des invités, mais par terre. Il dévorait les morceaux qu'on lui jetait, jouant de son faciès de bête ou accompagnait les laquais dans leurs navettes entre la salle à manger et les cuisines.

C'est ainsi qu'il vola des plats d'or, des cornes à boire serties de pierreries et des couverts en argent, pour les dissimuler dans les malles de son maître.

Les fiançailles terminées, les conditions du mariage convenues, le roi prit congé de son futur beau-père, embrassa sa dulcinée, rassembla son escorte et repartit vers son royaume.

Mais la troupe n'avait pas couvert sa première

lieue qu'elle fut arrêtée par un bruit de chevauchée et des cris d'écorché.

— Au voleur, au voleur ! Arrêtez !

Le roi fit stopper son carrosse, passa la tête par
la portière.

— Puis-je vous aider à capturer votre voleur ?

— Avec plaisir, Majesté. C'est vous !

— Comment ! s'indigna le roi. Moi, voleur !...
Vous osez !

— Oui, de vaisselle ! Et par n'importe
laquelle. La plus belle !

— Fouillez mes bagages ! s'écria le roi, sûr de
son bon droit. Et pendez-moi si vous dites vrai !

C'était un peu trop s'avancer.

On trouva, évidemment, ce qu'on cherchait et,
comme le malfaiteur avait lui-même prononcé sa
condamnation, son futur beau-père qui ne l'était
plus décida qu'on le pende, sans perdre de temps
avec un procès.

Le fiancé, sur le chemin du gibet, se tourna vers
son bouffon.

— Prodige, sors-moi de là !

— Tout ce que vous voulez, Majesté. Mais à
une condition.

— Laquelle ?

— Que vous épousiez ma mère.

— Ta mère ! mais je ne l'ai jamais vue. Si je savais au moins à quoi elle ressemble !

— Prodige ! Mama ! La vie ! répondit le bouffon en se moquant de lui.

— Maudit !

Au pied de la potence, le condamné revint à la charge.

— Prodige, sors-moi de là !

— Oui, mais en échange… Vous savez quoi…

— Raaah !

Le roi n'était pas encore mûr !

Lorsqu'on lui passa la corde autour du cou, il céda.

— Bon, c'est juré ! J'épouserai ta mère, Prodige ! Mais dépêche-toi…

— Oui, Majesté… de vous sortir de là !

Prodige sauta sur l'échafaud, poussant son cri d'abîme, fit valser le bourreau, repoussa les gardes en commettant quelques crimes, délivra son roi et l'enleva, décourageant ses poursuivants qui restèrent cois.

Les colères de Prodige décuplaient sa force et sa laideur. Elles lui donnaient des airs de troll, à faire peur.

Une fois rentrés, Prodige s'empressa de retrouver sa mère et la vie reprit, comme si rien ne s'était

passé. Rien de rien. Les fiançailles chez le voisin ?
Oubliées en chemin ! La condamnation, la pen-
daison ? Un rêve, une illusion ! La promesse de
mariage, affirmée sous serment ? Les promesses
sont des nuages balayés par le vent !

Prodige se chargea de rafraîchir la mémoire de
son maître.

— Mais ta mère, au moins, présente-la-moi,
que je me fasse une idée ! tergiversa le roi.

Prodige brandit sa main droite et le roi l'arrêta.

— Oui, oui, je sais... maugréa-t-il. Prodige !
Mama ! La vie !...

Impossible de tirer quoi que ce soit de cette
maudite tête de bois.

À la fin, Prodige perdit patience et menaça de
déchaîner ses ouragans.

— Bon, c'est entendu, je la marie !... consentit le roi. Mais, vite fait, bien fait et qu'on n'en
parle plus !

Prodige se rapprochait du but.

Pour ce qui concernait sa mère, Prodige prit la
direction des opérations. Il choisit le modèle de
la robe, le tissu : soie, mousseline, dentelle,
organdi... La couturière avait la taille de sa mère.
Elle servirait de mannequin. Cela éviterait les
essayages dans la forêt. Mais le matin des noces,

un carrosse viendrait la chercher pour l'emmener auprès de la fiancée, afin de la vêtir et la parer.

— Dieu sait la monstruosité de la mère, quand on connaît celle du garçon... songeait la petite main. Sans compter la forêt...

Elle frémissait d'avance. Mais avait-elle la liberté de refuser ? Son client la terrorisait avec sa tête d'animal, mais payait grassement avec des plats d'or, des cornes à boire serties de pierreries, des couverts en argent...

Si Prodige menait ses affaires tambour battant, le roi, de son côté, se montrait peu entreprenant. Alors, Prodige accéléra le mouvement.

— Je conduirai moi-même ma mère à l'église, dans votre beau carrosse doré. Vous, vous irez à pied et nous y attendrez.

Et les choses se déroulèrent comme elles avaient été réglées.

C'est la couturière qui découvrit la vérité la première.

Elle approchait de la maison comme si elle marchait au supplice, mais à peine à l'intérieur, elle poussa un cri d'admiration. La mariée était l'image de la beauté, de la douceur. La mère de la bête était rien moins qu'une reine. Une métamorphose du bonheur ! Elle éblouissait, emplissait de joie qui l'approchait et la couturière, en l'habillant, se mit à rire, à chantonner le cœur léger, comme si elle retrouvait une amie perdue de vue. Elle serait restée des jours à ses côtés, si elle avait pu.

Quand sa mère chérie fut prête, le fils la conduisit, comme promis.

Le roi, tête basse, attendait dans l'église. La porte s'ouvrit derrière lui. Il n'osa pas se retourner. La robe couverte d'or tintait et lui, croyait entendre des cliquetis de fer, les maillons d'une chaîne...

— C'est une bête féroce. Il la tient en laisse. Elle va me dévorer à peine marié, faire main basse sur mon royaume...

Quand elle fut près de lui, Prodige releva le voile qui dissimulait le visage de sa mère, comme s'il découvrait un chef-d'œuvre unique. Un fleuve de lumière inonda l'église et éblouit le roi qui n'en revenait pas. Instant magique ! La fiancée souriait. Le fiancé bégayait.

— Mais... je n'ai rien préparé... juste une petite cérémonie bâclée... Pas même de banquet... Vite, pasteur, marie-nous... et dans une semaine, faisons la noce... Prodige, prends les choses en main.

Prodige n'en attendait pas moins !

Il s'occupa du festin, engagea une armée de marmitons et de laquais, dressa le plan de table, organisa les festivités, lança les invitations à travers le royaume et chez les souverains voisins, veillant que tous soient bien reçus et logés confortablement.

C'est ainsi que le père de la mariée fut convié, sans se douter qu'il assisterait au mariage de sa petite princesse. Il vint donc, accompagné de sa seconde femme et de sa belle-fille.

— Quand il sera attablé, expliqua Prodige à son maître, je lui retirerai les morceaux de la bouche, pour les manger sous son nez. Les convives riront aux éclats et il n'appréciera pas. N'importe, je recommencerai trois fois. Alors, vexé d'être tourné en ridicule, il voudra me réduire en chair à pâté. À cet instant, interposez-vous. Protestez que c'est au maître de punir le valet et tirez votre épée. Coupez-moi la tête, sans pitié, puis ramassez-la et replacez-la en invoquant le nom du grand Être des Cieux.

— Et après ? demanda le roi.

— Ah, après !... Après la pluie le beau temps ! plaisanta Prodige en le quittant.

Vint le jour de la fête : la foule, les rires, les chants, la joie. Vint l'instant du repas et chacun s'attabla.

Le bouffon qui, jusque-là, avait multiplié pitreries et quolibets mangeait par terre et dévorait ce qu'on lui lançait, en imitant un fauve en cage.

Soudain, après qu'on eut servi le saumon, il se leva, s'approcha du père de la mariée en se balançant comme un ours, pêcha le poisson qui était dans son assiette et l'enfourna dans sa bouche.

— Ours aime saumon... marmonna-t-il en mâchant goulûment.

Le roi crut à une facétie de bouffon, mais n'apprécia guère d'en être la cible devant tant de témoins.

Prodige retourna se vautrer par terre et revint à la charge au moment du faisan, puis au rôti de sanglier. Chaque fois qu'il se levait, tout le monde s'arrêtait de manger et le silence tombait. Puis des rires, des cris, des railleries saluaient l'air furieux de la tête de Turc.

— Ça suffit à la fin ! hurla le père de la princesse en voyant disparaître sa part de sanglier. Trop c'est trop !

Le marié s'interposa.

— Permettez, vous êtes mon invité. C'est à moi de trancher ! dit-il en dégainant son épée.

Clameur parmi les invités !

Le jeune roi s'approcha de son bouffon et, d'un moulinet étourdissant, lui décolla la tête. Puis, se précipitant, la ramassa et la reposa sur le corps, toujours debout qui attendait patiemment.

— Au nom de notre Père des Cieux, dit le monarque, je te remets la tête à l'endroit et les idées en place. Maintenant, fais de ton mieux !

Stupeur ! Le bouffon à faciès animal s'était changé en jeune homme élégant.

— J'avais été ensorcelé, expliqua-t-il simplement. Et vous m'avez délivré, Majesté.

— Il faut punir les sorciers ! s'exclama le père de la mariée, révolté. Pour eux, un tonneau hérissé de piques à l'intérieur et... adieu !

— Vous ne croyez pas si bien dire, lui répondit Prodige et ma mère, sans doute, partage votre avis. Comme moi, en effet, elle a été victime d'un sortilège, le même, jeté par une malfaisante.

— Son nom ?

— Vous la connaissez, Majesté.

— Son nom ?

— Elle est à vos côtés !

— Qui ? Elle ? Ma femme ?

— Oui Majesté ! Elle a ensorcelé ma mère qui est aussi votre fille.

— Ma fille ?

Tumulte des auditeurs ! Tollé ! Émotion de la coupable ! Terreur !

Prodige ramena le silence en raconta sa version,

la seule véritable. Ainsi, le rôle de chacun fut-il connu de tous.

On se saisit de la méchante, séance tenante et, puisque sa punition avait été formulée, on l'enferma dans un tonneau pour lui régler son compte. Quant à sa fille, seule, sans appui, on la chassa de la cérémonie. Après quoi, la noce reprit. La joie avait cédé la place à l'émoi. Le père de la mariée était très abattu. Il ne se pardonnait pas de s'être laissé manipuler.

— Je n'ai rien vu ! répétait-il, sans se chercher d'excuses. On ne tue pas sa fille ! Surtout quand elle est enceinte d'un fromage au lait des femelles de la forêt. On l'aime, on l'entoure, on la choie, on apaise le sauvage, on le civilise... Voilà la véritable tâche d'un roi !

Beau programme de gouvernement ! Mais il avait failli et il ne pouvait plus l'appliquer, décemment.

Il choisit donc de se retirer des affaires et confia son royaume à son Prodige de petit-fils. Puis, veuf pour la seconde fois et libre de ses mouvements, il décida de vivre ici, de vivre là, parfois chez ses enfants, mais toujours au gré du vent.

Il était un vieil homme dorénavant. Il s'était beaucoup trompé, mais comme il avait pris soin de réparer ce qu'il avait cassé, en définitive, il avait bien accompli son temps. Il s'en irait le cœur en paix.

JUIN

LE PRINCE HLINI
Conte d'Islande

Où l'on voit un fils de roi, à
l'avenir tout tracé, détourné de
son chemin, et une fille de paysan, audacieuse et hardie, trouver les arguments pour arriver à
ses fins.

Ici, un roi, sa femme, son fils.

Le garçon s'appelle Hlini. Il est précoce, habile et vigoureux. Le roi fonde de grands espoirs sur lui. De la graine de champion !

Là-bas, un paysan dans sa chaumière, sa femme, sa fille.

La fille s'appelle Signy. Elle est décidée, silencieuse et débrouillarde. Son père n'attend rien d'elle, c'est une fille. Il n'a pas d'ambition.

Fille et gars ne se sont jamais vus et ne se connaissent pas. Les fils de roi ne fréquentent pas les paysannes.

Un jour, le prince part à la chasse avec les gens de son père. La chasse fait partie de l'éducation des futurs rois. Le gibier est abondant, varié et ils passent la journée à traquer, à tuer. Ils rentrent, fiers de leur tableau et, sur le chemin, se racontent leurs prouesses, commentent les résultats.

Mais la brume tombe soudain, s'épaissit, devient brouillard opaque, recouvre les rires, les mots, étouffe même le pas des chevaux. Chacun est isolé, coupé de ses compagnons et le prince comme tout le monde. Sauf qu'il n'est pas tout le monde. Pourvu qu'il ne s'égare pas !

— Hlini, où es-tu ?

Hlini ne répond pas.

On crie, on hurle, on souffle dans les cornes. Mais Hlini reste sourd aux appels.

Les chasseurs décident de rentrer au château et d'alerter le roi.

— Comment ? Hlini, perdu ?

Le roi n'en croit pas ses oreilles. Il donne ses ordres.

— Que tous les hommes valides organisent une battue !

Mais la journée est déjà bien avancée et les recherches, malgré la vigueur des rabatteurs, ne donnent rien et s'interrompent avec la nuit. Elles reprennent le lendemain, tôt, se prolongent trois jours durant, passent le pays au peigne fin, en vain. Aucune piste, aucun indice !

Cette disparition n'est pas naturelle. Le roi se désespère, promet une récompense.

— La moitié de mon royaume à qui retrouvera mon gars !

La promesse parvient là-bas, dans la chaumière des paysans. Comment ? Peut-être le vent ? Peut-être les saumons des rivières ? Nul ne sait avec précision.

Signy, en apprenant la nouvelle, quitte ses occupations et avertit ses parents.

— Je vais retrouver ce fils de roi et gagner un domaine. C'est bon pour nous. Nous y vivrons !

Ses parents l'approuvent et lui offrent de quoi faire la route : des souliers neufs et un casse-croûte. Il n'y a pas à hésiter.

Donc Signy s'en va. Elle marche, marche, marche. Elle suit son idée et ne s'en détourne pas. Lorsque la nuit la prend, elle se trouve déjà loin, en plein milieu des monts. Elle cherche un abri pour dormir, découvre une grotte, entre. La chance est avec elle, ou le hasard, ou le destin. En effet, deux lits sont préparés. L'un couvert d'un drap d'or, l'autre d'un drap d'argent. Et sur le drap d'or, justement, un garçon : le prince endormi.

Elle s'approche, le secoue.

— Hé ! debout Hlini !

Mais il n'entend rien. Ne réagit même pas. Elle insiste.

— Réveille-toi, prince Hlini. Je suis venue te chercher. Rentrons au pays !

Rien à en tirer ! Il gît comme un mort, mais il vit, car il respire et son cœur bat.

— Il y a de la magie dans l'air, pense Signy.

Elle a raison. Elle découvre, gravées sur les montants du lit, des runes dont elle ignore le sens, mais qui maintiennent le dormeur prisonnier du sommeil.

— Inutile de s'évertuer à le réveiller, se dit-elle.

Et, par prudence, à moins que ses voix intérieures ne l'aient avertie, elle se cache dans un recoin de la grotte. Elle est à peine dissimulée que des pas font trembler le sol à proximité de l'entrée. Quelqu'un approche. On dirait un orage sur le versant des monts, avec la foudre qui bavarde au milieu des grondements. Deux femmes trolls à tête de rocher apparaissent. Elles rentrent au bercail. L'une s'arrête à la porte, renifle et ronchonne d'un air dégoûté.

— Bêrrrh ! Ça pue l'homme, là-dedans !

— Évidemment, idiote ! répond sa sœur en désignant le prince endormi. Que veux-tu qu'il sente celui-là ?

La première secoue la tête. Elle trouve que l'odeur est plus forte que le matin avant leur départ, mais elle ne sait pas s'expliquer. Elle répète.

— Tout de même... Je trouve que ça pue l'homme !

— Réveille-le donc, s'énerve la seconde. Et regarde s'il est mieux disposé.

Un son grinçant s'élève alors. Ni plainte, ni sanglot, c'est la femme troll qui chante et la musique du refrain fait ressortir une tristesse dans sa voix.

« Chantez beaux cygnes,

Enfants de lumière, mes amis.
Que le prince endormi se réveille
Et nous adresse un signe. »

Pendant qu'elle chante, des ailes invisibles traversent la grotte et écartent les eaux du sommeil. Le prince ouvre les yeux et s'assoit sur le lit.

— Et ce soir, gronde celle qui ne chantait pas. Est-ce que tu veux manger ?

— Non, je n'ai pas faim !

— Et moi ? questionne à son tour la chanteuse. Est-ce que tu veux m'épouser ?

— Jamais de la vie ! Depuis quand les femmes trolls épousent-elles les humains ?

— Alors rendors-toi jusqu'à demain !

Et un refrain s'élève à nouveau, plus grinçant que le premier.

« Chantez beaux cygnes,
Enfants de lumière, mes amis.
Faites descendre la nuit
Sur cet humain qui se résigne. »

Les ailes repassent en battant l'air de la grotte et le prince tombe à la renverse, frappé par le sommeil.

Les deux femmes trolls se recouchent à leur

tour sur le lit au drap d'argent et ronflent dès qu'elles ont la tête sur l'oreiller.

— Puisqu'il est l'heure de se reposer, se dit Signy, je vais les imiter.

Elle se pelotonne dans un coin, sans bruit et s'endort.

Le lendemain matin, les monstrueuses ouvrent un œil, les deux, puis se lèvent. En voyant le prince endormi, une grimace plisse leurs visages gris, étire leurs lèvres et découvre leurs dents. Elles sourient. Elles réveillent Hlini, en invoquant les cygnes, comme la veille, pour lui poser les mêmes questions. Manger ? Épouser ? Non ? Couché !...

Elles le rendorment pour la journée, après quoi elles s'en vont écumer la montagne et les prés.

Signy, alors, sort de sa cachette et entonne le chant magique. Le prince se réveille, bien surpris de trouver, assise sur son lit, une fille.

— Qui es-tu ? Que fais-tu là ? Comment m'as-tu trouvé ?

— Je suis Signy, paysanne de ton père, répond-elle. Je t'ai trouvé en suivant mon idée. Et toi, comment t'es-tu laissé capturer ?

— La brume qui est tombée n'était pas de la brume, mais la buée des femmes trolls. Elles étaient à la chasse, elles aussi. À l'homme ! Pour

111

se marier, faire des enfants, assurer leur descendance. Il faut les en empêcher !

— Oui mais, il faut ruser, car elles connaissent la magie. J'ai un plan. Écoute ! Ce soir, quand elles t'interrogeront, accepte tout : de manger et d'épouser. Mais à une condition. Premièrement, qu'elles te révèlent le sens des runes gravées sur les montants de leurs lits. Deuxièmement, qu'elles te donnent l'emploi du temps de leurs journées.

— C'est une bonne idée. Je n'y avais pas pensé.

Après quoi, ils passent leur temps à discuter, de tout, de rien, comme font les filles avec les garçons, en attendant le soir. Alors, Signy rendort Hlini et se cache, juste au moment où les géantes rentrent au bercail.

Elles rapportent des oiseaux et, pendant que l'aînée les plume et allume le feu, la cadette réveille le prisonnier.

— Veux-tu manger ?

— Avec plaisir. Je suis mort de faim.

— Et veux-tu m'épouser ?

— Je ne dis pas non ! Mais j'aimerais d'abord faire connaissance avec ma fiancée.

La troll n'en revient pas. Sa sœur non plus qui a tout entendu. Elle s'approche.

— C'est bien facile. Pose-nous des questions !

Le prince fait semblant de chercher.

— D'abord, je veux connaître le lit où nous allons dormir. Ces runes, là... que disent-elles ?

— Ah ! s'esclaffa la plus jeune. Bête comme chou. Elles disent :

« Envole-toi, ma belle couche
Et suis les ordres de ma bouche. »

— Bien ! répond le prince, satisfait. Mais vous n'êtes à la maison que pour dormir. Comment occupez-vous donc vos journées ?

— Simple comme bonjour ! répond l'aînée à son tour. On va, on vient, on effraie les humains, on chasse du gibier, on tue et, quand on est fatiguées, on s'assoit sous un chêne et on joue.

— À quoi ?

— À la balle, avec notre œuf de vie.

— C'est dangereux, ça ! S'il se cassait ?

— Ben, on mourrait !

— Ah !

Hlini fait semblant de réfléchir, puis bâille en s'étirant.

— Notre conversation m'a épuisé. Faites-moi dormir.

Les géantes l'endorment, mangent et se couchent, ravies de s'être trouvé un mari.

Le lendemain, elles le réveillent.

— Veux-tu manger ?

— Ah oui, alors ! J'ai l'estomac dans les talons.

Et pendant qu'ils déjeunent d'un reste d'oiseaux de la veille :

— Veux-tu nous accompagner dans les bois ? Tu nous verras dans nos occupations.

— Ce n'est pas l'envie qui m'en manque, mais j'aimerais me reposer ici et rêver à notre mariage en toute tranquillité.

— C'est bon !

Elles l'endorment et quittent la grotte.

Signy les laisse s'éloigner et réveille le prince.

— Plus un instant à perdre. Prends ton javelot et direction le chêne ! Quand elles joueront avec leur œuf, vise et tue. Si tu rates, nous sommes perdus !

Ils s'assoient tous deux sur le lit et prononcent les mots magiques.

> « Envole-toi, ma belle couche
> Et suis les ordres de ma bouche.
> Conduis-nous à travers les bois,
> Au chêne qui monte haut et droit. »

Le lit s'envole, atteint bientôt les bois, le chêne. Les jeunes gens se dissimulent dans les buissons, puis grimpent dans l'arbre et attendent à l'abri du feuillage.

Quand les femmes arrivent, un chevreuil sur

l'épaule, elles posent leur proie et, comme des fillettes à la récréation, battent des mains en sautillant.

— On joue à la balle ! On joue à la balle !

L'aînée sort l'œuf de vie et dit à la cadette.

— Voyons si tu peux l'attraper !

Elle le lance, mais il ne retombera jamais entier, car au même instant, Hlini dans le chêne vise et tire. Crac ! L'œuf est transpercé. La vie s'écoule par le trou et les deux femmes s'écroulent, ratatinées !

— Gagné ! s'écrie le prince.

Mais Signy, toujours en avance d'une idée, mijote déjà la suite. Elle empêche Hlini de s'attarder, l'entraîne sur leur véhicule et, en un coup de lit, l'emmène devant la grotte. Là, ils chargent tous les trésors des deux mortes, après quoi... « Envole-toi ma belle couche... », Signy ramène son prince à la ferme de ses parents.

Quand les jeunes arrivent, les vieux n'en croient pas leurs yeux. Leur fille avec le fils du roi et des richesses, en veux-tu en voilà ! Ils les accueillent au mieux, leur font la fête, leur préparent un banquet car ils ont faim : du lait caillé, de la soupe, du pain...

Une fois bien restaurés, Signy et Hlini s'endorment d'une traite jusqu'au lendemain. Dès leur réveil, Signy arrête sa décision.

— Je t'ai sauvé, dit-elle au garçon. Mais avant de te reconduire, je dois rencontrer ton père.

— Va ! Je t'attends.

Signy part donc chez le roi.

— Qui es-tu et que veux-tu ? lui demande-t-il quand il la reçoit.

— Je suis Signy, fille de paysans. Si je vous ramène votre fils, me donnerez-vous la moitié du royaume, comme promis ?

— Comment une fille de paysans pourrait-elle réussir, quand tant de fiers gaillards ont échoué ? ironise le roi.

— Répondez ! insiste Signy, sans faiblir. Aurai-je la récompense ?

— Oui, si tu la mérites. Mais hélas, tu ne l'auras pas !...

Signy s'en va, rentre à sa chaumière où elle retrouve Hlini.

— Viens ! lui dit-elle. Nous allons faire une surprise à ton père.

Elle le prend par la main et tous deux se présentent ainsi devant le roi. Celui-ci, comme les parents de Signy, la veille, n'en croit pas davantage ses yeux.

— Hlini ! C'est toi !

Aussitôt, il réunit tous ses gens en assemblée et invite son fils à parler.

Hlini obéit. Il raconte la chasse et sa capture par les femmes trolls. Il raconte l'arrivée de Signy, son courage, sa ruse. Il raconte son plan pour tuer les géantes.

À la fin du récit, le roi dit à Signy.

— Chose promise, chose due ! La moitié de mon royaume est à toi !

— Père, intervient alors Hlini. Ajoute-moi aussi, pour faire bon poids. Elle m'a sauvé d'un mariage et je veux qu'elle en tire avantage.

— Alors, qu'on les marie ! décide le roi.

On ouvre des tonneaux de bière, on sort les cornes à boire, on fête déjà la décision, avant de célébrer l'événement.

Et l'histoire de Signy, la paysanne devenue princesse, s'arrête là. En effet, c'est un saumon de rivière qui me l'a racontée. Il était présent le jour des retrouvailles. Mais le lendemain, la grande migration des saumons commençait. Il est parti et quand il est revenu dans le royaume, longtemps après, personne ne se rappelait qui était Hlini, qui était Signy. C'est pourquoi il m'a parlé, pour qu'on ne les oublie plus.

JUILLET

ASE, LA PETITE GARDEUSE D'OIES
Conte de Norvège

Où l'on voit que les gardeuses
d'oies ont les mêmes rêves que les
bergères, mais savent se changer
en femmes d'action, capables de
prendre du galon.

Un roi possédait tant d'oies dans sa basse-cour qu'une domestique était spécialement chargée de les garder. Elle s'appelait Ase[1]. Une fille de bon sens qui inspirait confiance et prenait sa tâche au sérieux. C'est bien simple, on ne la voyait jamais sans son troupeau. Où elle allait, les oies l'accompagnaient. Une nappe d'écume blanche dans les océans verts. On finit par l'appeler : Ase, la fille des oies.

Un jour, un prince d'Angleterre croisa son chemin. Il cherchait à se marier et visitait les cours et les royaumes à la recherche d'une fiancée de même naissance que lui. Le prince connaissait Ase de nom et de réputation. À dire vrai, une multitude de gens savait qui elle était, tant dans les îles que sur le continent.

— Tiens, te voici, Ase ! s'étonna le prince en la voyant. Que fais-tu donc là ?

— Je couds, je raccommode et j'attends.

— Tu attends qui ?

— Un prince anglais. Il doit passer aujourd'hui.

— Bien dit, car tu l'as devant toi. Mais les futurs rois n'ont rien à faire avec les gardeuses d'oies.

---

1. Qu'elle porte le nom d'une famille de dieux ne doit rien au hasard et c'est pourquoi, sans doute, Ase parvient à ses fins et se trouve partout où on ne l'attend pas.

— Détrompez-vous ! Je l'épouserai un jour et deviendrai sa reine.

Le prince éclata de rire.

— Les bergères rêvaient déjà de princes charmants, si les filles de basse-cour viennent, en plus, se mettre sur les rangs !...

Souvent les grands n'écoutent pas les petits. C'est ainsi. S'ils étaient moins ignorants, pourtant...

Mauvais jour ! Le prince anglais ne trouva aucune jeune fille à son goût. Il regagna son château et convoqua tous les peintres de la cour.

— Je suis fatigué de courir le palais et les fermes royales, leur dit-il. Courez à ma place et tirez le portrait des filles de roi que vous jugerez dignes de m'épouser.

Les peintres se dispersèrent, avec couleurs et chevalets, et réalisèrent en quelques mois une belle collection de frimousses et de minois. Le prince put donc choisir comme dans un album !

Un modèle, entre tous, lui plaisait. Hardi ! Il se rendit sur place et, trouvant que la copie était conforme à l'original, il demanda la permission de l'épouser, à son monarque de père qui accepta. Pensez ! Un prince anglais, cela ne se refuse pas !

Les fiançailles furent organisées au galop et, le

soir même, la princesse put dormir à côté de son tourtereau. Oui, mais... impatience n'interdit pas prudence ! Ce fils de roi possédait une pierre qui parlait. Transmise dans sa famille, de génération en génération, elle était née avec le monde et ne parlait jamais pour ne rien dire. C'était une bouche de vérité. Elle jugeait[1].

Quand la princesse se rendit à la chambre, elle croisa Ase avec ses oies, toujours placée au bon endroit.

— Attention, lui dit celle-ci. Ton fiancé possède une pierre qui révèle les secrets quand on marche dessus. Si tu as d'autres amours dans la vie, réfléchis.

Coupée dans son élan, la princesse qui avait des choses à cacher proposa un marché.

— Attendons qu'il soit couché et monte dans son lit. Puis redescends pour que je prenne ta place, dès qu'il sera endormi.

Ase accepta volontiers de rendre ce service.

Lorsqu'elle entra dans la chambre, elle posa le pied sur la pierre et le prince demanda :

— Qui me rejoint au lit ?

Et la pierre répondit :

— Une jeune fille douce, pure et aimante.

---

1. Sur les pierres ordaliques, car celle-ci en est un beau spécimen, voir la note de la p.72.

Le prince, rassuré, ferma les yeux et s'endormit. Aussitôt, la fille des oies donna sa place à la fille de roi et, quand celle-ci, le lendemain matin, quitta la chambre à son réveil, elle passa sur la pierre et le prince demanda :

— Qui sort de ma couche après la nuit ?

— Une aventurière ! Elle a trois amants et cherche celui qui la conduira au paradis !

Le prince, évidemment, ne fit pas la grasse matinée. À peine levé, les fiançailles étaient rompues et il rentrait chez lui, à bride abattue.

Cet échec n'arrangeait pas ses affaires, car il restait toujours célibataire. Il revint donc à sa galerie de portraits et dénicha une beauté qui lui avait échappé.

Aussitôt, il apprêta son carrosse et galopa chez son futur beau-père, en rêvant de fiançailles et de noce.

En chemin, il croisa Ase, pour la deuxième fois.

— Tiens, te voilà, petite gardeuse d'oies ! Que fais-tu là ? Partout où je vais, je te vois.

— Je couds, je raccommode et j'attends, répondit Ase.

— Puis-je savoir qui ?

— Un certain prince anglais pardi, qui doit passer aujourd'hui.

— Ce prince n'est pas pour toi, tu le sais bien.

— Détrompez-vous ! Je l'épouserai un jour, c'est certain.

Le prince haussa les épaules et poursuivit son chemin.

Hélas, ce chemin-là, comme le précédent, était une voie sans issue. Quand la pierre cueillit la belle fiancée à sa descente de lit, elle répondit au prince qui la questionnait :

— C'est une diane chasseresse ! Elle collectionne les proies. Elle en a déjà six à son tableau et elle vient de lever son septième chevreau !

Le fils du roi s'en alla. Rideau !

Déçu mais pas vaincu, il dédaigna sa galerie de portraits et reprit lui-même ses investigations. C'est ainsi qu'il entendit parler d'une perle rare, une pure beauté et qui plus est, modèle de fidélité. Il se rendit chez elle et, sur la route, peu avant l'arrivée, qui trouva-t-il accaparée par ses travaux d'aiguilles ? Ase, la bonne fille et ses oies.

— Encore toi ? Décidément, tu connais tous mes projets.

— Si vous saviez les miens, vous gagneriez du temps.

— Oui, je sais... Toujours tes rêves de prince charmant.

— Charmant et anglais ! Les deux à la fois, ce n'est pas impossible, s'il vous plaît !

— Ase, tais-toi, vraiment. J'éprouve de la pitié.

— Et moi, de l'amitié ! Je vous épouserai.

La princesse se révéla à la hauteur de sa réputation, du moins dans sa partie visible, la beauté. Le prince, enthousiaste, ne s'attarda pas en marchandage.

— Je la veux et je la marierai. Topez là ! Je m'y engage ! promit-il à son père.

Mais le soir des fiançailles, la princesse qui se dirigeait vers la chambre, rencontra Ase, toujours au bon endroit.

— Si vous voulez conserver vos secrets, méfiez-vous de la pierre.

— Quelle pierre ?

— Celle qui monte la garde à la porte. Elle sait tout de vous et le dira.

Comme les autres, la princesse qui n'avait pas la conscience tranquille se ravisa et proposa son rôle à Ase, pour la première partie de la soirée. Ase, serviable, accepta et, lorsqu'elle passa la pierre, le prince demanda :

— Qui me rejoint au lit ?

— Une jeune fille douce, pure et aimante.

Mais le prince voulut en avoir le cœur net. À deux reprises, on s'était déjà joué de lui. On ne le tromperait pas une troisième fois. Il fit donc semblant de dormir et Ase se coucha. Mais c'est elle qui sombra dans le sommeil. Alors, le prince en profita pour lui glisser à un doigt, un anneau si étroit, qu'une fois passé, on ne pouvait plus le retirer. Après quoi, il s'endormit.

Dans la nuit, Ase se réveilla en sursaut et, se voyant toujours au lit, se dépêcha de donner sa place à la princesse qui s'impatientait.

Au matin, quand la beauté, encore somnolente, franchit la porte, le prince questionna :

— Qui sort de ma couche après la nuit ?

— Une mante religieuse ! répondit la pierre. Elle a dévoré neuf amants et piégé le dixième qu'elle se mettra bientôt sous la dent.

La princesse, démasquée, s'enfuit et le prince, furieux, sauta du lit.

— Comment est-ce possible ? demanda-t-il à la pierre. Elles entrent pures et ressortent souillées !

— Enfin, répondit la pierre, tu te décides à m'interroger. Mieux vaut tard que jamais !

— Réponds s'il te plaît !

— Trouve Ase et pose-lui ta question.

— Ase, toujours Ase !

Ase se trouvait dans la basse-cour et s'apprêtait à emmener paître ses oies dans les champs. Sa main gauche était enveloppée d'un linge.

Le prince, en la voyant, comprit qu'il s'agissait d'une ruse. Il feignit la surprise.

— C'est une oie qui t'a mordu la main ?

— Heu... non, je me suis blessée en me coupant du pain.

— Est-ce que tu t'es soignée ? Montre-moi !

Elle voulut cacher sa main derrière son dos, mais lui, plus rapide, la saisit fermement, déroula le pansement et découvrit l'anneau.

— La jeune fille douce, pure et aimante, c'était donc toi ! s'exclama-t-il.

Ase le regardait en souriant et, dans ses yeux qui parlaient comme la pierre, mais en silence, il entendit :

— Je n'attends plus mon prince anglais. Il m'a trouvée et je crois bien que maintenant, je lui plais.

— Oui, Ase ! répondit-il en la prenant dans ses bras. J'ai couru le monde entier pour rencontrer celle qui se tenait depuis toujours à mes côtés. Je t'épouserai. Le jour est arrivé.

Ils rentrèrent au royaume d'Angleterre, mais le conte ne s'attarde pas sur ce qu'ils ont vécu. D'après ce que j'en sais, il semblerait qu'Ase, quittant la basse-cour pour la cour, a pris la précaution d'emmener avec elle ses oies[1]. Et pour en savoir davantage, il faudrait demander à la pierre...

---

1. Les oies sont un symbole de fidélité. Si le prince anglais l'avait su, il aurait compris, dès sa première rencontre avec Ase, qu'il ne trouverait jamais épouse plus fidèle qu'une gardeuse d'oies...

AOÛT

LE CHÂTEAU AUX CHATS
Conte du Danemark

Où l'on voit l'humilité alliée à la patience produire avec le temps des résultats inattendus. Cela prouve que les causes désespérées ne sont pas toujours des causes perdues.

Un roi avait trois fils : Povl, Peder et Jesper. Les deux premiers étaient des enfants gâtés : dépensiers, arrogants, cossards. Le troisième était discret, travailleur et peu bavard. Proche de sa mère, il apprenait le métier de roi, alors que les deux autres faisaient la fête, jetaient l'argent par les fenêtres, se levaient tard...

Le roi était prévoyant et voulut régler ses affaires de son vivant.

— Si je n'organise rien, confia-t-il à la reine, le royaume sera déchiré par une guerre de succession.

— Tu as raison ! approuva son épouse.

Le problème était posé, mais loin d'être résolu. Lequel des trois choisir pour régner ? Et qu'offrir aux deux autres qui protesteraient avec véhémence ?

Jesper, évidemment, était le plus qualifié pour s'asseoir sur le trône, mais les aînés ne voulurent pas en entendre parler, comme prévu.

— S'il devient roi, on le tue !

Navrant ! Mais les responsabilités ne sont pas toujours confiées aux gens les plus compétents et il en est ainsi depuis la nuit des temps. Que faire ?

La reine offrit une solution.

— Organisons un concours pour les départager. Le vainqueur aura le droit de régner et ses frères devront l'accepter.

S'amuser ? Les deux fainéants, dans leur élément, s'enthousiasmèrent de la proposition. Quant au troisième, il ne disait jamais non.

— Partez à l'aventure ! décida la reine. Le monde est vaste. Explorez-le, affrontez ses mystères et rapportez un chien, le plus petit que vous trouverez. Rendez-vous ici, dans un an, pour juger. Bon vent !

Les trois jeunes gens prirent le départ le lendemain matin.

Povl et Peder, élégants, ravis de s'absenter une année, tous frais payés, chevauchaient de superbes alezans. Jesper, lui, allait à pied, vêtu modestement, portant un simple baluchon. Ses frères avaient l'air de princes, lui, de vagabond.

Ensemble jusqu'au premier carrefour, ils s'arrêtèrent dans une auberge.

— Jurons de nous retrouver là, dans un an, proposa l'aîné. Le premier arrivé attendra les deux autres.

Ils jurèrent et, pour valider leur serment, ils confièrent leurs couteaux à l'aubergiste. Après quoi, chacun partit de son côté.

Povl ne voulait pas se compliquer la vie. Jouer, festoyer, prendre du bon temps, telles étaient ses intentions et, quand ses finances seraient en baisse, écrire à ses parents. Peder avait le même programme, strictement, sans la moindre exception.

Jesper, lui, se tenait à l'écart des villes et empruntait des chemins moins fréquentés. Pendant des jours, il marcha sans rencontrer personne, traversa une forêt, avant d'arriver dans un pays désolé dont tous les champs étaient à l'abandon. Seul indice de civilisation, un château se dressait au sommet d'une colline. Mais il paraissait désert et aussi délabré que les terres. Jesper s'en approcha et, lorsqu'il fut à proximité des murailles, il aperçut des chats, partout. Dans l'embrasure des fenêtres, sur les remparts, en équilibre au bord des gouttières ! Et plus il approchait, plus il en découvrait.

— Des maîtres qui aiment autant les chats possèdent sans doute aussi quelques chiens, se dit-il. Si seulement quelqu'un avait la bonne idée de m'ouvrir !

Il n'avait pas fini de parler que le pont-levis s'abaissa.

Il franchit le fossé, le poste de garde et arriva dans la cour. Personne pour l'accueillir. Que des chats ici et là. Dans les escaliers, dans les couloirs, des chats ! Dans les caves et les cuisines, encore des chats ! Dans les salles de réception et les salons, toujours des chats, endormis, jouant, courant, chassant la souris...

— Si seulement je trouvais quelqu'un pour me renseigner, pensa-t-il, errant de pièce en pièce.

Troublé, il poussa une porte et découvrit une magnifique chatte blanche sur un coussin écarlate. Quand il entra, elle s'assit et ronronna en l'observant.

— Je ne connais pas votre langue, mademoiselle, dit-il avec malice, mais je ne refuse pas de l'apprendre. Pourtant, avant de recevoir ma première leçon, je ne détesterais pas me mettre quelque chose sous la dent.

Comme si elle avait compris, la chatte se leva le plus naturellement du monde, se dirigea vers un placard de son pas nonchalant, s'arrêta devant la porte et gratta un battant.

Jesper l'ouvrit et découvrit un garde-manger garni de provisions : pain, vin, charcuterie, poisson, fruits et, sur un plateau d'argent, une souris rôtie.

Sans se poser de questions, car son estomac réclamait, il dressa le couvert et mangea de bon appétit, en compagnie de la chatte qui croquait sa souris. Il n'avait pas fait pareil festin depuis longtemps et la fatigue lui tomba sur les yeux avec la digestion. Mais où s'allonger ? Il chercha une banquette, un lit. Rien. La chatte qui avait saisi lui désigna, en grattant, une porte qui donnait sur une chambre à coucher.

Un bon lit l'attendait, pourvu de draps blancs et frais. Jesper s'y allongea et s'endormit.

Vers la mi-nuit, un bruit le réveilla, furtif. Un pas de velours sur la neige d'un rêve : une femme ! Elle entrait dans la chambre. Vêtue d'une robe immaculée comme un bouquet de lys, parée d'un collier d'or serti de rubis éclatants, elle vint s'asseoir, sans façons, au pied du lit. Elle était belle et décidée. Jesper n'eut pas le temps de dire un mot, qu'elle prenait déjà l'initiative, en plaisantant.

— Rassure-toi, je ne suis pas venue te donner ma première leçon. Seulement te fournir quelques explications.

Jesper, silencieux, n'avait eu que le temps de se redresser contre son oreiller. La femme racontait.

— Ce pays, autrefois, était prospère et nous étions de très riches propriétaires. Trop peut-être. Un prince étranger, un jour, vint demander ma main. Doté de belles qualités, il n'avait qu'un défaut, majeur selon mon père qui le chassa avec perte et fracas : il était pauvre.

Sa mère était sorcière. Nous l'ignorions. Elle se

vengea. Mon pays en friches, royaume des chardons et des ronces, c'est elle. Mon château dans cet état, mes domestiques changés en chats, c'est encore elle.

Elle a même poussé la vengeance jusqu'à nous accorder une infime, une dérisoire petite chance. « Votre royaume retrouvera sa prospérité, si un homme est capable de vivre, reclus dans votre château, trois années durant. » Je frissonne encore de l'entendre ricaner. Et, comble de cruauté, afin de me punir personnellement, elle m'a permis de redevenir femme, une heure chaque nuit, pour regretter et pleurer.

Voilà ! tu sais maintenant.

Elle se tut un instant et reprit, avec une tristesse à fendre l'âme.

— Depuis que nous subissons cette malédiction, un seul voyageur a osé s'arrêter : toi. Aussi, même si d'avance je connais ta réponse, permets que je te pose la question. Acceptes-tu de nous sauver ?

Déjà muet de saisissement, sur le coup, Jesper fut incapable de prendre une décision. Il songeait.

— Aider n'est pas facile. Sauver l'est encore moins. Qui peut s'engager à relever un tel défi ?

Il hésitait, voulait aider néanmoins, mais la

parole donnée à ses parents et le serment avec ses frères le retenaient.

— N'aie crainte, tu ne manqueras de rien, le rassura la princesse en le voyant réfléchir. Il te suffira de désirer et tu seras satisfait.

— Non, ce n'est pas cela... répondit-il. J'aurai besoin de m'absenter dans un an...

— Tu pourras. Je connais la raison de ton retour. Elle ne constitue pas un empêchement. Au contraire, si tu décides de m'aider, je t'aiderai à mon tour. Je te le promets.

— Alors, c'est dit. Je reste !

Mais l'heure de liberté était terminée et la princesse était redevenue chatte.

L'année s'écoula, comme ceci, comme cela. Chaque nuit, la princesse passait une heure avec Jesper. Ils se racontaient leurs vies passées, se regardaient, prenaient plaisir à être ensemble. Cette heure de récréation aidait la princesse à accepter son épreuve et encourageait Jesper dans son désir de la sauver.

La veille de son retour dans l'autre monde, Jesper savait qu'il ne remporterait pas le concours. Il arriverait les mains vides, reconnaîtrait sa défaite, renoncerait au trône, puis rentrerait s'enfermer dans le château aux chats pour tenir sa promesse et achever son temps.

Les choses cependant se déroulèrent différemment.

La dernière nuit, en effet, la princesse revint passer son heure avec lui.

— C'est demain le grand jour, lui dit-elle. Je t'avais promis mon aide, je tiens parole. Avant ton départ, tu trouveras une petite boîte sur la fenêtre de ta chambre. Elle contient un chien minuscule. Prends-la et pars. Un cheval de bois t'attend dans la cour du château. Il t'emmènera dans un village, voisin de l'auberge où tu as rendez-vous avec tes frères. Laisse-le à cet endroit. Il t'attendra un jour, puis reviendra. Sois ponctuel, car si tu rates l'heure du retour, tu ne me retrouveras jamais.

Dans le village, achète un chien, n'importe lequel. Remets-le en premier, et garde le mien pour la fin. Après, tu verras bien !

Jesper répéta ces conseils, mot pour mot.

— Encore ceci, reprit-elle, avant de le quitter. Tout le reste de la nuit, tu seras harcelé par des esprits. Quoi qu'ils disent, ne réponds pas. Quoi qu'ils fassent, ne les combats pas. C'est la sorcière qui cherche à t'intimider. Au pire de la difficulté, n'oublie jamais : les tourments que l'on endure sont toujours à notre mesure !

Elle était à peine redevenue chatte qu'un vacarme épouvantable résonna dans toutes les pièces du château. On aurait dit qu'une armée de géants arrivait en rangs serrés, fracassait les portes et les cloisons, jusqu'à la chambre à coucher où une tempête se mit à souffler. Les placards se vidaient, le lit de Jesper tournoyait et des hurlements, des ricanements lui déchiraient les tympans.

À l'approche du matin, tout s'arrêta et Jesper, épuisé, s'endormit jusqu'au lever du soleil qui le réveilla en sursaut.

— Vite, plus un instant à perdre ! dit-il en se levant.

La petite boîte l'attendait, comme promis. Le cheval piaffait dans la cour, comme prévu. Jesper l'enfourcha et se laissa conduire jusqu'au village.

— Compte sur moi pour demain ! confia-t-il à l'animal en le quittant.

Puis il acheta un chien et retrouva ses frères à l'auberge, toujours aussi fringants.

— Alors, cette année ? demandèrent-ils à Jesper. Tu en as bien profité ?

— Oui ! Je crois ne pas avoir raté une occasion.

— Et l'argent ? Combien de rallonges as-tu réclamées ?

— Je n'avais pas besoin d'argent. Seulement de détermination.

Povl et Peder éclatèrent de rire.

— Toujours le même ! Pauvre nigaud !

— Ne change pas, tu as raison. Cela nous laisse une plus grosse part du magot !

Là-dessus, ils se séparèrent et les aînés arrivèrent avant Jesper qui allait à pied.

Le roi et la reine étaient heureux de revoir leurs enfants, mais comme tous étaient impatients de savoir qui avait gagné... on procéda à l'examen des chiens et chacun présenta le sien.

À première vue, Jesper avait perdu. Sa bête était beaucoup plus grosse que les roquets de ses frères. Mais au moment où le roi s'apprêtait à les mesurer pour les départager, Jesper l'arrêta, sortant la boîte de sa poche.

— Ne vous hâtez pas de proclamer les résultats, père.

Il souleva le couvercle et un chien bondit sur la table d'examen, tellement minuscule qu'il tenait dans le creux de la main.

— C'est un faux ! s'écria Povl. Un jouet animé !

— Il n'appartient à aucune race déterminée ! renchérit Peder.

Jesper n'écoutait pas. Il retira une bague de son doigt, la posa sur la table et le chien sauta à travers, une fois, deux fois.

— Et dressé, avec ça ! siffla le roi.

Inutile d'examiner les différences à la loupe. Jesper remportait l'épreuve haut la main, mais Povl et Peder, mauvais joueurs, protestèrent, car ils ne voulaient pas que leur frère devienne roi ni vivre sous sa coupe.

À la fin, pour ne pas être soupçonné de favoriser son fils préféré, le père annula l'épreuve et la mère proposa :

— Remettons les compteurs à zéro ! Repartez pour un an et rapportez une étoffe, la plus belle que vous trouverez, digne d'une robe de mariée. Bonne chance !

— Aïe ! songea Jesper. Cela ne fait pas mes affaires. Il faudra que je demande une nouvelle permission pour m'absenter.

Mais la nuit d'après, quand le cheval de bois l'eut ramené, la permission fut accordée.

La deuxième année passa, semblable à la première, comme ceci, comme cela. Au château des chats, en compagnie de la chatte blanche, Jesper attendait sa récréation de la nuit, pendant que ses frères, dans le beau monde, menaient la grande vie.

La veille du jour de vérité, Jesper savait que n'ayant pas d'étoffe à présenter, il n'avait aucune chance de remporter le concours. Mais la princesse lui dit :

— Demain matin, prends la boîte sur la fenêtre. Elle contient un tissu unique. Enfourche le cheval de bois. Il t'emmènera au village. Tu y achèteras un coupon d'étoffe que tu présenteras en premier. N'oublie pas : le cheval n'attendra qu'un jour. C'est ton billet de retour. Et souviens-toi aussi que les esprits vont se déchaîner dès que je serai partie.

Elle était à peine redevenue chatte blanche que la sorcière sonna le branle-bas. Le château vibra de mille voix, comme si une foule l'envahissait. Certaines lui murmuraient douceurs et amabilités ; d'autres criaient avec rudesse et sévérité. Toutes cherchaient à le faire céder, mais Jesper ne bougeait pas d'un pouce, ne répondait pas un mot. Alors, elles déclenchèrent un véritable tumulte et le couvrirent d'insultes.

Il résista en fermant les yeux. Il pensait à son choix qui remontait à deux ans déjà, à ses hésitations. « Aider n'est pas facile. Sauver l'est encore moins ! » Il entendait les encouragements de la princesse : « Les tourments que l'on endure sont toujours à notre mesure ! » Il comprit que ses intentions n'avaient pas changé et que son désir d'aider la princesse, au fil des jours, au fil des nuits, s'était même fortifié.

Tenue en échec par une telle volonté, la sorcière finit par renoncer et le calme revint aux premières lueurs du matin. Alors, il se leva, empocha la boîte qui l'attendait, enfourcha le cheval de bois, galopa jusqu'au village où il acheta sa pièce de tissu et se présenta devant son jury où les deux autres candidats attendaient déjà.

Comparé à celui de ses frères, son tissu ne valait pas tripette. Mais devant les grands airs de Povl et Peder qui le voyaient déjà battu, il sortit de sa poche sa boîte à surprise d'où il tira une étoffe inconnue. Elle était légère comme une vapeur, résistante comme une armure, si finement tissée qu'en l'examinant de près, on découvrait que, sur les fils d'or et d'argent entremêlés, une carte du monde était dessinée.

— Ah ça ! dit le roi. Je ne sais où tu as déniché ce chef-d'œuvre, mais il est inutile de délibérer. Tu remportes une nouvelle fois l'épreuve !

— Ce n'est pas le travail d'un humain, contesta Povl. Il a payé un sorcier ou une fée !

— Oui, il a triché ! Il doit être disqualifié ! insista Peder, vert de rage.

La reine était embarrassée.

— Mieux vaut une injustice qu'un désordre, pensa-t-elle. Tournons la page.

Puis, elle s'écria à haute voix :

— Jamais deux sans trois ! Repartez pour un an et trouvez-vous une femme. La plus digne d'être reine désignera le roi et cette dernière épreuve aura force de loi ! En avant !

Jesper n'avait pas l'intention de courir car son chemin était tout tracé. Et, le lendemain matin, quand les trois frères se séparèrent, les deux premiers s'éclipsèrent, aiguillonnés par l'espoir d'être roi, alors que lui, paisible, partit retrouver son petit cheval de bois. Il se laisserait ramener au château des chats où il achèverait ses trois ans, fidèle à son engagement.

Et la troisième année s'écoula, de toutes la plus amère, car elle était la dernière. Aux côtés de la chatte blanche, Jesper regardait les jours filer, en pensant qu'ils ne reviendraient pas. Il quitterait bientôt le château, son devoir achevé. Il s'était engagé de tout son cœur pour défendre une cause perdue et, sans se soucier de son propre intérêt, il avait suivi un chemin qu'il n'avait pas prévu. Au mieux, s'il réussissait à vaincre la malédiction, il s'en irait le cœur en paix, mais les mains vides et l'avenir incertain. Au pire... Mais on ne redoute plus le pire quand on ne craint plus rien.

Au cours de la dernière soirée, lorsque la princesse quitta sa fourrure blanche pour une robe immaculée, Jesper lui dit :

— Je pars demain, mais je n'ai pas de fiancée, car la seule femme que j'aime ne peut m'accompagner. Je vais donc rentrer chez mon père, reconnaître ma défaite et renoncer à régner. Mon royaume ? Tant pis, je le perds. Mais peut-être retrouveras-tu le tien. J'ai le cœur triste, mais ta joie, si elle revient, m'adoucira comme un baume. Adieu !

— Ne sois pas triste, mon ami. Au contraire, prends ton courage à deux mains, car tous tes efforts de trois ans, cette nuit, pourraient être réduits à néant. Prépare-toi à subir le plus dur des combats. La sorcière qui n'a jamais pu te faire lâcher prise va lancer toutes ses forces dans la bataille. Aussi, je t'en conjure, ne renonce pas, lutte, vaille que vaille.

Ce fut son dernier mot, car les esprits, déjà, lançaient l'assaut.

Jesper, assis dans son lit, fut projeté au sol et roué de coups. Son supplice commençait. Il fut frappé, fouetté, saisi par des mains de fer, trituré.

Et pendant qu'il subissait mille souffrances, la voix mielleuse de la sorcière lui susurrait :

— Tu seras riche et puissant dans l'autre monde, pour peu que tu reprennes ta parole et renies ton serment. Tu verras... Fais-moi confiance !

Jesper n'était pas dupe. Il se laissa torturer, malmener, et plus d'une fois faillit demander grâce. Mais au plus fort de son cauchemar, la voix de la princesse parlait en lui et le rafraîchissait comme une eau claire tirée d'un puits. « Ne lâche pas prise... Les tourments que l'on endure sont toujours à notre mesure... Lutte vaille que vaille... »

Il résista si bien, que la sorcière et son armée, furieuses de n'avoir pu trouver la moindre faille, se retirèrent au matin, abandonnant définitivement le terrain.

Un nouveau jour se levait et Jesper, ébloui, ne reconnut pas la silhouette qui se penchait sur lui et l'aidait à retrouver ses esprits.

— Merci !

C'était une femme.

— Merci pour tout. Mon royaume, les gens de mon pays, mon honneur, ma vie...

Une seule femme pouvait parler ainsi. Une femme qu'il n'avait aperçue qu'à la lueur des bougies...

— C'est toi ?

Les chats avaient tous retrouvé figure humaine. Ils défilaient devant Jesper, se faisaient reconnaître et le remerciaient à leur tour de s'être donné tant de peine.

— Oui, c'est moi, répondit la princesse. Et je t'aime comme tu m'aimes.

— Alors, partons vite ! s'écria Jesper en pensant à la partie qui se jouait. Rien n'est perdu !

— Oui, allons-y ! Mais laisse-moi organiser notre arrivée. Jusqu'à maintenant, mes conseils ne t'ont pas trop mal réussi. Alors, fais comme je te dis.

Jesper consentit.

— Nous irons séparément. Toi le premier, avec une fausse fiancée. Moi, en second, j'interviendrai au bon moment.

La fiancée d'occasion avait cent ans. Elle était aveugle, sourde, muette et impotente. Elle vivait dans une cabane, en plein milieu des champs où paissaient deux carnes de juments aussi âgées que leur propriétaire.

— Ses deux rosses formeront ton attelage et sa voiture à fumier te servira de carrosse. Charge la femme sur le siège, attache-la pour qu'elle ne verse pas et présente-toi chez ton père dans cet équipage. Ne t'occupe pas du reste.

146

Jesper suivit les recommandations de la princesse.

Les juments n'avaient pas été attelées depuis une éternité. Elles ne savaient plus tirer. La voiture à fumier n'avait pas été graissée depuis longtemps et grinçait de tous ses roulements.

Le convoi, cependant, finit par s'ébranler et, cahin-caha, à la vitesse d'un enterrement, Jesper et sa fiancée de remplacement atteignirent l'auberge, mais bons derniers. Povl et Peder, en le voyant depuis leurs beaux carrosses dorés, ne lui adressèrent même pas la parole. Ils firent un signe à leurs cochers et s'en allèrent, soulevant une nuée de poussière qui recouvrit la carriole.

À l'occasion de cette ultime épreuve, le roi et la reine avaient réuni la cour, afin que leur décision fût acceptée de tous et le vainqueur reconnu sans contestation. Les deux aînés étaient déjà présents et bien accompagnés. On n'attendait plus que le petit dernier.

Un tintamarre de grincements, de roues débandées et de hennissements signala bientôt une arrivée.

— Un tombereau, en ce jour, dans la cour du château ? Évacuez ce paysan !

— Impossible, Majesté. C'est votre fils qui en descend !

147

— Comment !

Quelle stupéfaction en découvrant le chariot crasseux à côté des carrosses. Sans parler de la fiancée ! Quel os ! Jesper coupait les liens qui la ficelaient, la descendait dans ses bras et la confiait à des valets qui attendaient sur le perron.

La cour, horrifiée, murmurait :

— Quel avenir pour le royaume, s'il n'a qu'une vieille à épouser !

— C'est ridicule ! Il aurait dû renoncer à ses prétentions.

— Quelle dérision ! Il fait pitié.

Indifférent aux quolibets et aux exclamations, Jesper se présenta devant ses parents avec sa dulcinée, trimballée par deux valets. La reine et le roi cachaient leur peine. Povl et Peder toisaient leur frère, pleins de mépris et de haine.

Le roi, pressé de mettre un terme à ce supplice, s'apprêtait à éliminer Jesper d'office, quand une nouvelle chevauchée fit résonner la cour pavée. Six chevaux étincelants tiraient le char du soleil levant.

— Qui est-ce ? Une reine ? Une déesse ?

Un laquais couvert de rubans se présenta et réclama le prince.

— Moi ? demanda Povl, prêt à abandonner sa belle.

— Non, moi sans doute ? s'empressa Peder qui rattrapait déjà son frère.

— Non, pas vous ! répondit l'homme en désignant Jesper. Lui !

Un frisson parcourut l'assemblée pendant que Jesper traversait le salon de réception. Dehors, sa princesse l'attendait, ravie de cette petite comédie. Jesper la contempla, une fois de plus, ébloui. Elle portait la robe qui avait enchanté ses nuits pendant trois ans et le même collier d'or serti de rubis.

— Toi ! lui dit-il en la mangeant des yeux. Je te connais, mais je ne t'ai jamais vue.

Elle était pure, simple et s'imposait sans artifice.

— Comment fais-tu ?... L'habitude des métamorphoses, sans doute, ajouta-t-il en riant. Viens, mon amour. Je vais te présenter à mes parents.

Des cris d'admiration saluèrent leur entrée et lorsque le roi voulut annoncer laquelle, selon lui, était la plus belle des trois, sa voix fut couverte par les acclamations qui élisaient la princesse du château aux chats.

La suite est banale dans toutes ses conclusions.

Jesper fut déclaré vainqueur. Il remportait la couronne de son père et ses noces furent décidées. Ses frères, eux, n'avaient pas accepté leur défaite et ruminaient une vengeance, comme tous mauvais perdants. Ils proposèrent un jeu, pour distraire les invités à la fin du banquet de mariage. Un cerceau descendait du plafond, suspendu et chaque princesse était conviée à le traverser en sautant, pour montrer sa souplesse.

Ils espéraient que la femme de Jesper se briserait les os. Hélas, ce furent leurs belles qui se rompirent le cou. Zou !

Povl et Peder s'enfuirent et on ne les revit plus.

Quant à Jesper, il régnait d'ores et déjà sur l'ancien royaume des chats, aux côtés de sa reine. À la mort de son père, ils décidèrent, elle et lui, d'unir leurs deux pays comme ils avaient uni leurs deux vies.

SEPTEMBRE

LES TROIS VIEILLES[1]
Conte de Suède

Où l'on apprend que les princesses ne sont pas des ménagères
et que, pour imposer cette vérité,
reviennent parfois du fond des
âges, d'invincibles guerrières.

---

1. Ces trois vieilles sont les trois Nornes, divinités scandinaves féminines, char-
gées des destins de chaque être humain. Ce sont elles qui apparaissent dans
d'autres contes, sous forme de marraines, bonnes ou mauvaises, à la naissance
d'un enfant. Le cadeau qu'elles apportent alors est une qualité ou un défaut qui
va marquer la vie du nouveau vivant.

Un prince est amoureux d'une princesse. Rien d'anormal. La princesse est facile à aimer, elle n'a que des qualités. Banal ! Elle est belle, légère et elle enchante le château de son père. Ses caresses ont la douceur d'un vol de papillon, ses baisers la vigueur des averses d'été et ses paroles sont aussi sages que celles d'un vieux saumon.

Pourquoi donc en faire une histoire ? D'autant plus que la fille est follement éprise du garçon. Qu'ils se marient et qu'on arrête les embarras !

C'est que... des embarras, justement, il y en a. La mère du prince ! C'est elle qui rechigne et qui grince. Elle trouve la fille trop tendre, trop espiègle. Une écervelée qui ne sait rien faire de ses mains.

— Mais elle est princesse, proteste le prince qui veut convaincre sa mère. Future reine. Pas future ménagère !

— Un jour, elle commandera aux gens de sa maison. Et pour pouvoir diriger, il faut avoir appris à travailler ! Lorsqu'elle sera aussi habile que moi à son âge, nous pourrons reparler de mariage. Jusque-là !...

La reine n'en démord pas.

Quelque temps après, son fils revient la trouver, décidé à s'imposer.

— Finissons-en, mère ! Éprouve les qualités

de ma fiancée et décide, une fois pour toutes, si nous pouvons nous aimer.

— Ton pari est téméraire, mon fils, répond la reine. As-tu bien réfléchi ? Car je ne reviendrai pas en arrière.

— NOUS avons réfléchi, corrige le prince, en colère. Et NOUS avons choisi !

— Alors, à vos risques et périls ! répond la mère sur le même ton.

Toute la journée, la reine coud, tisse et file. Experte en travaux d'aiguille, elle manie la quenouille et le métier avec une époustouflante dextérité. Pauvre fille ! C'est sur ce terrain qu'elle va la provoquer.

L'épreuve commence le soir même. On enferme la princesse dans un pavillon isolé, surveillé par des gardes qui en interdisent l'accès. Personne ne pourra l'aider. Avant de la quitter, la reine lui jette son défi.

— Voici une livre de lin et un rouet. Il faut que tout soit filé demain matin !

— Cinq cents grammes ! À la main ! s'exclame la princesse.

La reine n'entend pas. Elle est déjà dehors. La serrure claque. La princesse se retrouve seule devant son ouvrage.

Par quel bout attaquer ? De toute sa vie, elle

n'a jamais filé. Elle prend une poignée de lin, hésite, regarde le rouet, essaie d'imiter les gestes des fileuses, se pince les doigts et ne parvient à dérouler qu'une misérable filasse.

Elle s'acharne, redouble d'efforts. Son amour est en jeu. Mais elle s'épuise en vain. Elle n'avance pas, elle le voit bien et elle se décourage, le cœur plein de regrets.

— Je n'aurais jamais dû accepter !

Elle fond en larmes. Avant de se marier, elle se voit déjà veuve.

Mais parfois, l'amour parvient à se frayer un chemin jusqu'au ciel pour plaider sa cause à la source, devant les juges des étoiles. Leurs décisions, inattendues, sont toujours immédiates. La princesse en fait l'expérience. La porte de sa cellule s'ouvre soudain. Une femme entre. Boulotte, le visage écarlate, elle est affligée d'une affreuse difformité. De sous sa jupe dépassent deux énormes pieds !

— Que la paix de l'univers soit dans cette maison ! salue-t-elle en entrant.

— Et en vous également ! répond la princesse en reniflant.

— Pourquoi pleures-tu, demoiselle ?

— Parce que je dois filer cette livre de lin avant

demain ! Parce que je n'arrive à rien ! Parce qu'à l'aube mon amour sera mort.

— Ne pleure pas, lui répond l'inconnue. Je suis venue t'apporter du réconfort. Ta livre de lin, j'en fais mon affaire. Mais en échange, je te demande une faveur.

— Tout ce que vous voulez, madame, si vous me délivrez du malheur. C'est accordé d'avance.

— Écoute-moi d'abord. Je suis Mère Gros-Pied. J'ai assisté jadis au mariage de la Vieille Reine[1]. J'étais sa demoiselle d'honneur. C'était il y a des années. Les hommes ne vivaient pas encore sur la Terre. Depuis, je n'ai plus jamais été invitée à de telles cérémonies. Alors voilà, j'aimerais être de la noce, si tu te maries.

— Comme demoiselle d'honneur, vous avez passé l'âge, mais lorsque nous couperons le gâteau, vous ferez le partage. C'est promis !

— Alors donne-moi ton lin et ne t'occupe plus de rien.

La vieille disparaît. La princesse reste seule. Elle ne parvient pas à dormir. Inquiète, elle épie

---

1. Cette Vieille Reine est la grande déesse cosmique qui a donné naissance à tous les composants de l'univers. On la trouve, sous des noms différents, dans quantité de mythes de création du monde. La présence des divinités du destin à son mariage nous rappelle que la destinée est prête à investir chaque être dès sa naissance.

les bruits de la nuit, écoute passer les heures. Elle guette.

Avec les premiers oiseaux du matin, Mère Gros-Pied revient.

— Tiens ! dit-elle en tendant une pelote.

Le fil est tellement fin qu'il est transparent, presque invisible. On dirait un fil d'araignée humecté par la rosée.

— Je n'en ai pas filé de cette qualité depuis que la Vieille Reine s'est mariée. Je l'ai sentie à mes côtés pendant que je travaillais. On dirait qu'elle veut favoriser ton destin.

Là-dessus, Mère Gros-Pied s'en va et peu après, lorsque le jour se lève, la porte s'ouvre avec fracas.

— Alors, voyons ce résultat ! s'écrie la mère du prince en entrant.

— Il est là, qui vous attend.

La princesse tend sa pelote et la reine, d'un seul coup d'œil, mesure la qualité exceptionnelle de son filage.

— Tu me surprends, reconnaît-elle. Je ne te savais pas si habile. Mais ne crois pas t'en tirer à si bon compte. Ton examen d'entrée n'est pas terminé. Tu n'as passé que la première épreuve.

Le soir, la princesse est reconduite dans son pavillon, sous haute surveillance.

— À quoi sert de filer, si l'on ne sait pas tisser, lui dit la reine en l'installant. Transforme cette pelote en étoffe. J'en prendrai livraison demain, au chant du coq.

Comme le soir précédent, elle sort, claque la porte, la bloque et laisse la princesse avec son lin en fil et un métier à tisser.

Mais par quel bout attaquer ? De toute sa vie, elle n'a jamais tissé. Le fil, comment le tendre pour bâtir la chaîne ? Comment positionner les lisses[1] ? Et la navette ? Comment la faire courir avec la trame, d'un bord à l'autre du tissu ?

Elle a vu des tisseuses, de longues journées, devant leur métier, mais elle ne s'est jamais assise à leur place, sur le tabouret, laborieuse.

Elle essaie de passer ses fils. Ils s'embrouillent, se nouent. Elle les démêle, perd un temps fou et soudain, à bout de nerfs, laisse éclater son chagrin.

— Pourquoi mon prince m'impose-t-il la loi de sa mère ? Pourquoi faut-il savoir tisser pour aimer ?

Son désespoir traverse les murs et se perd dans la nuit, monte vers le ciel où les étoiles sont réunies. Elles ont bien entendu.

Sur terre, au même instant, la porte de la pri-

---

1. Dans un métier à tisser, lamelles de bois qui supportent les fils de chaîne.

son s'ouvre et laisse entrer une inconnue aux allures de commère. Petite, ventrue, sa jupe est ballonnée par un énorme derrière.

— Que la paix de l'univers soit dans cette maison ! salue-t-elle en entrant.

— Et en vous pareillement ! répond la princesse en se mouchant.

— Pourquoi pleures-tu, demoiselle ?

— Parce que je dois tisser pour ne pas perdre mon fiancé ! Parce que je ne suis bonne à rien ! Parce que tout le monde le saura demain et se moquera de moi.

— Sèche tes larmes, nom d'une pipe en bois ! Le tissage ne m'a jamais fait peur. Confie-moi ton métier, je vais m'en occuper. Mais en échange, offre-moi une faveur.

— Je ne peux rien vous refuser.

— Écoute-moi d'abord. Je suis Mère Grosses-Fesses. J'étais demoiselle d'honneur de la Vieille Reine quand elle a épousé le roi de l'univers. Un temps déjà ancien... La terre n'était habitée que par les nains. Depuis, je ne me suis plus jamais assise à la table d'un banquet. Alors, invite-moi à celui de tes noces, s'il te plaît.

— Je vous retiens deux places, c'est dit. Vous serez plus à l'aise.

— Alors, oublie tes soucis !

La vieille s'en va. La princesse se met au lit, mais n'arrive pas à dormir, impressionnée par le silence.

Mère Grosses-Fesses revient avec la rosée du matin. Elle porte un coupon de lin d'une blancheur éclatante. À l'œil, on dirait de la neige saupoudrée de soleil. Au toucher, une peau souple et veloutée.

— Le dernier lin que j'ai tissé aussi serré a servi pour la robe de mariée de la Vieille Reine, annonce la vieille, satisfaite. D'ailleurs, pendant que je travaillais, je l'ai sentie dans mon dos. Elle riait. Je savais qu'elle te connaissait...

La princesse n'a pas le temps de s'étonner que la fileuse s'est déjà évanouie dans l'aube vaporeuse.

Au chant du coq, la porte s'ouvre.

— Alors, l'étoffe est prête ? Apporte que je voie ça !

La princesse remet le coupon à la reine qui recule d'un pas, éblouie par la finesse du tissu et son éclat.

— Ah, tu sais tisser aussi ! dit-elle en dissimulant son admiration. Mais, filer, tisser... bagatelles ! J'aimerais voir ce que tu donnes avec une aiguille à la main. Ce soir, même heure qu'hier, au même endroit, ma belle !

La princesse se croyait libérée. Elle se retrouve bientôt enfermée pour une troisième nuit de labeur.

— Voici ton étoffe, lui dit la reine, sans douceur. Coupe, taille, pique et confectionne des chemises pour ton fiancé. Tu en es si éprise. Je viendrai les chercher au lever du jour. Elle sort et verrouille la porte à double tour.

Cette troisième épreuve est la pire de toutes. Depuis deux nuits, la princesse bataille. À deux reprises, elle a cru perdre son amour. À deux reprises, elle a cru le gagner. Et chaque nouvelle épreuve s'est alourdie de la victoire de la veille.

En cette soirée, devant le coupon de lin qu'elle ne transformera pas en chemises, elle est plus désespérée que jamais. Elle n'a pas la force de se plaindre, ni la force de pleurer.

Mais le désarroi, même silencieux, peut émouvoir les forces qui règnent sur les cieux, car la porte de sa cellule s'ouvre, comme la veille, comme l'avant-veille et une troisième grand-mère fait soudain son entrée. De la taille des autres, boulotte, elle est affligée elle aussi d'une difformité. Pas aux pieds, pas aux fesses, mais aux pouces de ses mains. Ils sont énormes, durs comme des rochers. C'est Mère Gros-Pouce !

Elle était demoiselle d'honneur de la Vieille

Reine, comme ses sœurs et elle vient tirer la princesse de son cauchemar atroce, à une condition, toujours la même : être conviée à la noce.

— C'est trois fois dit, trois fois promis !

— Alors couche-toi petite et dors comme un bébé. À ton réveil, les chemises seront cousues et prêtes à essayer.

La vieille s'en va. La fille s'endort. La vieille revient. La fille s'éveille et voit les chemises, en pile, sur une table.

Elles sont magnifiques, brodées de motifs qui avaient cours aux temps anciens et que personne ne sait plus reproduire aujourd'hui.

— Je n'ai pas cousu aussi bien depuis que j'ai confectionné la robe de mariée de notre Vieille Reine, se félicite Mère Gros-Pouce. D'ailleurs, elle m'a tenu compagnie pendant que je travaillais. Elle m'a parlé. Elle a évoqué son mariage et la naissance du monde, son fils. Puis elle a raconté son enfance, son évolution un peu trop fulgurante, son vieillissement et la nécessité de le rajeunir. « Heureusement », m'a-t-elle dit mot pour mot, « des temps nouveaux arrivent. Un bel élan, un printemps plein de forces : le cadeau d'amour de deux fiancés qui préparent leurs noces. »

Son récit terminé, la couturière disparaît, mission accomplie.

Quand l'aube se lève, la reine est déjà là et, malgré ses grands airs, elle est bien obligée de s'incliner devant le maître ouvrage de la princesse.

— Tu sais filer, coudre et tisser. Tu es une fille remarquable, reconnaît la reine. Mon fils a fait le bon choix. Je ne vois plus d'obstacles à votre mariage.

Alors, on publie les bans sans tarder, on invite à tour de bras pour célébrer cette union peu ordinaire d'un prince et d'une princesse couturière.

Mais, au milieu de l'agitation, personne ne remarque l'air absent de la petite fiancée. Elle est souvent songeuse, préoccupée. Pas par des rêveries d'amoureuse, mais par son secret : ses trois invitées ! Personne ne les attend, personne ne les connaît. Ne vont-elles pas révéler que la princesse, en réalité, ne sait ni filer, ni coudre, ni tisser ? L'invitation qu'elles lui ont arrachée lorsqu'elle était dans la détresse, ne cache-t-elle pas une trahison ? Et son mariage, veulent-elles le faire capoter, le jour de sa célébration ?

L'inquiétude n'empêche pas les jours de s'écouler. Le mariage arrive, la cérémonie se déroule, puis les invités se dirigent en foule vers la salle à manger. Les vieilles sont déjà là et la mariée qui les aperçoit ne sait si elle doit aller les saluer ou bien les ignorer.

Avant qu'elle ait décidé, le roi, son beau-père, les a vues et s'est approché pour engager la conversation.

— Je suis le père du marié ! dit-il pour se présenter.

— Et moi, Mère Gros-Pied, répond la première des trois vieilles. Comme vous voyez, j'ai tant filé au cours de ma vie, embobiné les fils de tant de destinées, que mes pieds sont devenus ces deux énormités !

— Tu entends ça, ma bru ? répond le roi à la princesse qui s'est approchée. Tu vois ce qui t'attend, si tu continues à filer ? Dorénavant, je t'interdis de toucher un rouet !

— Moi, je suis Mère Grosses-Fesses, continue la deuxième. Toute ma vie, j'ai croisé fil de trame et fil de chaîne. J'ai mélangé tant de destinées, provoqué tant de rencontres imprévisibles, inopinées !... J'étais tellement accaparée par mon métier que je suis restée assise pendant des années. Résultat : vous voyez ce fessier !

— Regarde ça, ma bru ! Si jamais tu t'approches encore d'un métier à tisser, c'est à ton beau-père que tu auras affaire !

— Quant à moi, dit la troisième, je suis Mère Gros-Pouce. J'ai coupé, bâti, faufilé, cousu, chemises, robes, pantalons, tant et plus. J'ai taillé des vies sur mesure, pour que chacun soit revêtu d'un destin qui l'accompagne de la naissance au trépas. Total ? Ces pouces de fier-à-bras !

— Ma bru, montre tes mains ! ordonne le roi. Garde-les en bon état, car si tu touches aiguilles ou ciseaux, je t'enferme dans un cachot. Tu n'es pas née pour être couturière !

La princesse, soulagée, ne demande pas mieux. Elle se précipite dans les bras de son mari. Enfin, ils peuvent s'aimer.

Pendant ce temps, les trois vieilles s'esquivent en catimini. Elles repartent d'où elles sont venues : dans les plis de l'étoffe du temps, quelque part entre chaîne et trame, à la cour de la Vieille Reine...

Elles ont accompli leur mission.

Grâce aux nouveaux mariés, l'amour va revigorer les forces du royaume, entraîner peut-être les royaumes voisins et qui sait, de proche en proche, se répandre dans le monde entier...

OCTOBRE

LA VACHE ROUSSE
Conte du Danemark

Où l'on voit une princesse échapper à son père qui veut l'épouser et le ramener à la raison en luttant pour sa liberté.

Comment vivre avec un serment, quand celle à qui l'on a juré n'est plus là pour le défaire ?

Elle avait posé ses conditions avant d'entreprendre son voyage au-delà des montagnes de la vie. Elle avait dit :

— Remarie-toi si tu le désires, mais veille par-dessus tout à ce que ma robe noire soit à la taille de ta nouvelle épouse. Assure-toi bien qu'elle la porte aussi bien que je la portais !

Il avait répondu en éludant l'avenir.

— Oui, oui... ne t'inquiète pas. Mais au lieu de penser à demain, regardons aujourd'hui. Tu es là...

— Jure !

Il s'était incliné.

— La robe noire. Bien... Elle la portera... C'est juré !

Alors, apaisée, elle avait souri en fermant les yeux et son cœur s'était arrêté.

Elle était reine. Il était roi.

Le présent passa. L'avenir prit sa place.

Après les funérailles et le chagrin, après le deuil, revinrent le goût de vivre et d'aimer à nouveau. Mais le serment pesait de tout son poids et le roi, fidèle à la parole jurée, refusait d'oublier. C'est pourquoi, lorsqu'il décida de se mettre en quête d'une nouvelle femme, il emporta dans ses bagages la robe noire qui devait faire le choix.

Il alla de royaume en royaume. Partout on l'accueillait, car son projet était connu. Partout, les cours l'attendaient, avec une multitude de prétendantes, prêtes pour le grand essayage. Mais partout, il ne laissait que déceptions sur son passage.

En effet, le verdict de la robe était toujours le même : trop courte, trop longue, trop ample, trop ajustée ! Aucune femme, vraiment, ne la portait avec majesté. Aucune ne rayonnait comme une reine doit rayonner.

Les royaumes l'un après l'autre se refermèrent derrière le roi, en même temps que ses chances de refaire sa vie.

La robe cherchait-elle à lui faire comprendre qu'il devait rester veuf, en s'accommodant, pour toute femme, du souvenir de sa première épouse ?

— Pourquoi ce serment, arraché au tout dernier instant ? se demandait-il avec amertume. Pourquoi une telle épreuve ?

Il regagna son pays, en ruminant ces pensées, seul comme il était parti. Il recommença à gouverner et, certain de ne jamais se remarier, il rangea la robe pour ne plus y penser.

Mais un jour, les suivantes de sa fille décidèrent, par jeu, de l'essayer à leur tour. Qui sait, elle avait peut-être refusé les nobles héritières pour leur préférer une humble roturière ? Elles riaient en l'enfilant, pouffaient de voir leurs dégaines, boudinées, mal fagotées, se la passaient en s'esclaffant... Et toujours, la robe rendait le même jugement : trop courte, trop longue, trop ample, trop ajustée !

— Et vous, princesse ? proposa la plus délurée. Vous êtes la seule à ne pas l'avoir passée !

La princesse se prêta de bonne grâce à la demande et revêtit la robe.

Aussitôt, elle fut métamorphosée ! La robe semblait avoir été taillée à ses mesures. Elle ne la portait pas comme un vêtement. Elle l'habitait à tel point que l'étoffe, au contact de son corps, respirait, frémissait comme une seconde peau. La jeune fille était radieuse et ses suivantes poussèrent des cris d'admiration.

— Vous êtes aussi belle qu'une reine !

Mais la princesse, seule à avoir compris que la robe venait de la désigner, était pâle d'horreur.

— Vite, vite ! s'écria-t-elle. Aidez-moi à me déshabiller !

Trop tard ! Le roi qui passait à proximité des appartements de sa fille, intrigué par la joie et les exclamations, voulut en connaître la cause et entra. En découvrant la princesse, tout de noir vêtue, étincelante comme la première étoile de la nuit, il resta sur le seuil, troublé par l'émotion.

— Ainsi, c'est toi ! balbutia-t-il. J'ai couru le monde à ta recherche, alors que tu m'attendais dans ma maison !

— Non, père ! Ne vous méprenez pas. C'était un jeu !...

— Ma fille bien-aimée... C'est donc toi que je vais épouser, puisque la robe l'a décidé !

Il voulut la prendre dans ses bras, mais elle le repoussa.

— Non, père ! Ne dites plus un mot. Je ne puis être votre fille et votre femme à la fois.

Elle était superbe de révolte et la robe frissonnait sous les inflexions de sa voix. Elle insista.

— C'est interdit par la loi !

— Je suis le roi. C'est moi qui décide de la loi, répondit le père. J'en ferai une, spéciale, pour toi et moi et notre mariage sera légitime.

— Les lois de la vie sont au-dessus des lois des hommes ! Chacun doit s'y soumettre, fût-il le plus grand monarque de la Terre !

— Je t'épouserai, tu m'entends ! s'emporta le roi. Avec ou sans ton consentement, je resterai fidèle à mon serment !

Il quitta sa fille, partit promulguer sa loi et donner des ordres pour qu'on apprête la cérémonie et les festivités. La princesse était désespérée. Puisqu'elle ne pouvait empêcher son père de commettre une folie, elle décida d'en finir avec la vie.

Le soir venu, elle s'enfuit du château en secret et se cacha au fin fond d'une marnière[1] pour y mourir de chagrin. Mais la mort qui ne voulait pas d'elle ce soir-là plaça une vieille femme sur son chemin.

— Que t'arrive-t-il, petite fille ? lui demanda la vieille en la voyant.

La voix était empreinte de douceur et de patience et la princesse raconta son malheur en confiance à l'inconnue : le projet de son père et sa décision d'en finir, comme seule issue.

La vieille femme l'écouta et lui dit :

— Ne te révolte pas devant l'obstacle ! Ne pleure pas sur toi. Il y a mieux à faire que de mourir, car cette épreuve renferme un levain et ton cœur va fleurir !

Elle poursuivit avec ce plan d'action.

— Rentre avant le jour et demain, aux premières clartés du matin, va voir ton père et dicte-lui tes conditions. Exige qu'il t'offre, sous vingt-quatre heures, une robe en becs de corneilles. S'il échoue, tu ne l'épouseras pas. S'il réussit, fais

---

1. Mine d'argile.

mine d'accepter et, dès la nuit tombée, rends-toi à l'étable. Tu y trouveras une vache rousse. Confie-toi à elle, comme tu t'es confiée à moi. Ensuite, quoi qu'il arrive, n'oublie jamais ceci : obéis à ton cœur, impose-toi, lutte avec ardeur !

Sur ces mots, la vieille femme disparut dans la nuit et la princesse, rassérénée, regagna le château.

Le lendemain, elle se rendit auprès de son père et exigea la robe en becs de corneilles. Le roi releva le défi avec détermination. La résistance de sa fille décuplait sa passion.

Tous les chasseurs du royaume furent réquisitionnés et firent un grand massacre de corneilles au cours de la journée. Puis, les couturières prirent le relais et passèrent la nuit à coudre les becs pour confectionner la robe qui fut terminée dans les délais.

Le roi avait rempli les conditions et les préparatifs de la noce, un instant suspendus, reprirent de plus belle. La princesse était désappointée. Une seule bataille ne suffit pas à remporter la victoire. Elle se rendait compte que la lutte serait longue. Aurait-elle la force de résister ?

Sans éveiller l'attention, elle se rendit le soir à l'étable comme la vieille femme le lui avait conseillé. Elle y trouva la vache rousse à qui elle raconta le supplice qui l'attendait.

La vache l'écouta et lui dit :

— Je connais une solution. Va chercher ta robe en becs de corneilles et reviens me détacher.

La princesse retourna au château, prit la robe, revint à l'étable et détacha la vache qui l'emmena sur son dos, au grand galop. Personne ne remarqua leur fuite.

Après des heures de course, la vache dit à sa passagère.

— Dresse-toi sur mon dos et dis-moi ce que tu vois à l'horizon.

La princesse se mit debout.

— Il y a quelque chose, annonça-t-elle. C'est rouge comme le soleil couchant.

— Alors, nous sommes dans la bonne direction, répondit la vache. C'est la forêt de cuivre et nous devons la traverser. Mais attention ! Elle appartient à un taureau. Si tu cueilles la moindre feuille, il m'attendra à la sortie et me tuera.

— Je ne toucherai à rien, c'est promis !

Sans ralentir son pas, la vache pénétra dans la forêt. Le feuillage étincelait de mille reflets cuivrés et la princesse les admirait, en se faisant toute petite pour éviter de les frôler. Pourtant, à quelques mètres de la lisière, elle fut saisie d'une envie soudaine de se garder un souvenir. Folie ! Au même instant, les paroles de la vieille femme lui revinrent à l'esprit : « Obéis à ton cœur, impose-toi, lutte avec ardeur ! » Sans réfléchir, elle arracha une feuille, toute petite.

— Malheureuse ! s'écria la vache. Nous étions presque tirées d'affaire. Par ta faute, je vais devoir me battre. Le taureau va me clouer par terre. Quel désastre !

La princesse n'eut pas le temps de regretter son geste. La vache quittait juste la forêt et le taureau l'attendait déjà.

— Descends ! ordonna la vache et laisse-moi.

Le combat dura toute la journée, impitoyable. Le taureau était puissant, mais la vache, plus résistante et plus rusée, finit par le tuer.

Une fois débarrassée, la vache se reposa un jour, puis reprit sa route comme si de rien n'était.

Après de nouvelles heures de course, la monture dit à son écuyère :

— Dresse-toi sur mon dos et dis-moi ce que tu vois à l'horizon !

— Il y a quelque chose... D'un blanc éclatant. Comme la lune à la surface d'un étang.

— Parfait ! répondit la vache. Nous sommes sur la bonne voie. C'est la forêt d'argent et nous allons la traverser. Mais attention... mêmes recommandations ! Ne cueille rien ! Rien de rien ! Pas une brindille, pas une feuille ! Le maître du domaine est un taureau deux fois plus puissant que le précédent. Un monstre ! Contre lui, je n'ai pas la moindre chance.

— Fais-moi confiance ! promit la princesse en se croisant les bras.

La vache traversa la forêt d'argent comme elle avait traversé la forêt de cuivre, mais peu avant la lisière, la princesse, éblouie par tant de beauté, eut envie d'emporter une feuille pour ne pas oublier. Insensée ! Et, pour la deuxième fois, les paroles de la vieille résonnèrent en elle, comme pour la pousser : « Obéis à ton cœur... »

Elle céda.

— Tu me mets dans de beaux draps ! meugla la vache, en colère.

Trop tard ! Le monstre était déjà là, noir, fumant, grattant la terre.

— Descends !

La princesse obéit. Il était temps. Le taureau se ruait déjà. La vache rousse l'évita. Mais le fauve reprenait son élan et à nouveau chargeait sa proie.

À chaque passe, la vache esquivait et les cornes du molosse tranchaient le vide ou lacéraient le sol. Brave petite rousse ! Le combat dura deux jours et c'est le taureau, épuisé, qui finit par se faire transpercer.

La vache prit deux jours de repos et, au matin du troisième, dit à la princesse :

— Hé ! nous ne sommes pas d'ici. Allez, monte sur mon dos et filons !

La course reprit.

Après des heures de galopade, la vache demanda à son équipière :

— Et maintenant, dis-moi ce que tu vois à l'horizon !

— Je vois quelque chose encore. Une vraie merveille... éblouissante comme le soleil.

— Très bien ! C'est la forêt d'or, se félicita la vache rousse. Nous sommes toujours sur le bon chemin. Nous allons la traverser et je ne te rappelle pas comment tu dois te comporter. Sache seulement que le taureau de cette forêt est trois fois plus imposant que celui de la forêt d'argent. Un géant ! Il est si fort qu'il n'y a d'autre issue contre lui, que la mort !

Pour la troisième fois, la princesse, pleine de bonne volonté, promit de ne rien toucher. Et, pour la troisième fois, incapable de résister, cueillit une feuille d'or et exposa la vache rousse au plus terrifiant de tous les dangers.

Comment se déroula le combat ? Le conte ne

le dit pas. Mais le troisième taureau, malgré sa supériorité, fut comme les précédents, terrassé, et la vache, après trois jours de repos bien mérité, reprit la route avec sa protégée, jusqu'à une butte de terre couverte de gazon.

— Terminus ! annonça la vache. Tout le monde descend.

Puis, désignant un château à proximité, elle dit à la princesse :

— Ils doivent avoir besoin d'une cuisinière, là-bas. Va te faire embaucher ! Moi, je reste ici. Tu sais où me trouver.

La vache ne s'était pas trompée. Les cuisines manquaient effectivement de personnel et la jeune fille prit son service sans tarder, tantôt à la préparation du manger, tantôt à la vaisselle.

Le dimanche qui suivit son arrivée, tout le monde se rendit à la messe sauf la princesse qui resta en cuisine, avec mission d'achever le repas et de surveiller les cuissons.

Elle profita qu'elle était seule pour rendre visite à la vache rousse qui lui dit .

— Revêts ta robe en becs de corneilles, prends ta feuille de cuivre et rends-toi à l'église, toi aussi. Je tiendrai ta place aux cuisines pendant ce temps. À la fin de l'office, veille à repartir la première.

Une fois dehors, jette la feuille de cuivre et pro-
nonce ces paroles :

> « *Par-devant, la lumière*
> *Et la nuit, par-derrière.*
> *Nul ne découvrira*
> *Où me portent mes pas !* »

Sans perdre un instant, la princesse retourna au
château, s'habilla et se précipita à l'église où elle
arriva la dernière. Lorsqu'elle fit son entrée,
silence ! Plus un chant, plus une prière ! Même
le prêtre se demandait qui était cette belle étran-
gère.

Quand le calme revint, plutôt mal que bien, la
messe se poursuivit jusqu'à la fin. Alors, brusque-
ment, la princesse se leva, quitta son banc et jeta
la feuille de cuivre en disant :

— Par-devant la lumière et la nuit par-derrière.
Nul ne découvrira où me portent mes pas !

La princesse regagna le château, abritée par son
écran, incognito et prit le relais de la vache rousse
qui avait terminé le repas.

Les gens des cuisines arrivèrent peu après,
bavards, agités. Tous évoquaient l'inconnue, à la
robe peu ordinaire, apparue soudain, puis disparue.

— Si tu avais pu être là, dirent-ils à la princesse. Tu as raté un événement !

Toute la semaine on en parla. À tel point que le dimanche suivant, personne n'aurait manqué la messe.

La petite cuisinière, évidemment, engagée la dernière, dut accepter la corvée des fourneaux. Elle n'espérait rien d'autre et quand elle fut seule, elle retourna auprès de sa vache qui lui conseilla à nouveau :

— Revêts ta robe en becs de corneilles, prends ta feuille d'argent et rends-toi à l'église.

Comme le dimanche précédent, la vache rousse la remplaça.

L'entrée de la princesse fut saluée cette fois-ci par un murmure. Elle était donc revenue ! Plus belle encore dans sa robe irisée de reflets argentés. Et le prince, malgré sa ferveur de chrétien, dès qu'il la vit, en perdit son latin !

— Mais la fin ? songeait chaque fidèle en feignant de prier. Comment s'en ira-t-elle ?

La princesse prit tout le monde de court. Le prêtre, en effet, achevait à peine le dernier cantique, qu'elle se levait, lançait sa feuille d'argent et prononçait ses mots magiques.

— Par-devant la lumière et la nuit par-derrière. Nul ne découvrira où me portent mes pas !

Une exclamation salua sa disparition. La princesse courut au château, revêtit ses habits de souillon, libéra sa vache et reprit ses fonctions.

À leur retour, les domestiques ne parlaient que du prince.

— Si tu l'avais vu ! expliquèrent-ils à la princesse. Il ne quittait pas la belle du regard. Il s'est même précipité derrière elle à son départ. Mais trop tard !

Une troisième semaine s'écoula, impatiente, bruissante.

Dimanche arriva et tout recommença : l'affluence à la messe, pénitence pour la princesse, la vache en cuisinier, la robe et la feuille d'or pour terminer.

— N'oublie pas, recommanda la vache...

— Oui, oui, je sais !

À la troisième apparition, l'assistance poussa un soupir de soulagement. Tous, en effet, craignaient une défection, la fin du mystère qui pimentait toutes les conversations. Le prince, depuis qu'il avait vu la dame, avait changé. Touché au cœur. Chacun pouvait en témoigner.

L'inconnue s'était installée à la même place que les dimanches précédents. Elle priait, sans remarquer que tout le monde la contemplait, elle et sa robe aux reflets dorés.

Vers la fin de l'office, le prince la sentit remuer. Oh ! léger son mouvement, imperceptible. Mais il comprit qu'elle se préparait à partir et, à son tour, il se tint prêt à bondir.

Quand elle quitta son banc, il lui emboîta le pas. Hélas, au moment où il allait la retenir d'une main sur son épaule, une feuille d'or vola dans l'air, en même temps que des mots, étranges comme une prière :

— Par-devant la lumière et la nuit par-derrière. Nul ne découvrira où me portent mes pas !

— Ne t'enfuis pas ! s'écria le prince, aveuglé par la nuit. Reste et dis-moi qui tu es.

Il referma les mains sur elle. Mais elle avait disparu.

— Raté !

Là-bas, dans les cuisines du château, la princesse s'affairait déjà autour des fourneaux, essoufflée et troublée. Cette fois-ci, elle avait eu chaud ! D'ailleurs, dans sa hâte, elle avait trébuché et perdu un soulier.

Le prince était désappointé, mais il tenait une piste.

— Je possède déjà la chaussure ! s'écria-t-il. Je posséderai bientôt le pied. C'est sûr !

Il organisa un rassemblement auquel il convia

toutes les femmes du royaume pour une grande séance d'essayage.

Toutes celles qui répondirent à l'appel savaient très bien qu'elles n'étaient pas la belle que le prince recherchait, mais elles voulaient tenter leur chance. Après tout, leur pied s'ajusterait peut-être au soulier, qui sait... Quitte à forcer !

En effet, une rumeur s'était répandue : le pied était petit, fin, gracieux. Et celles qui l'avaient long, large, lourd, l'écrasèrent dans des étaux, se coupèrent un orteil ou se rabotèrent le talon. Pour devenir princesse, riche et célèbre, tous les moyens étaient bons ! Mais, qu'elles soient nobles, bourgeoises ou servantes, la chaussure refusait tous les pieds. Elle était trop courte, trop longue, trop ample, trop ajustée...

Le prince, la mine défaite, regardait le défilé des candidates, disqualifiées les unes après les autres. Quand il n'en resta plus une seule, il reconnut sa défaite, amer.

— Ainsi, je resterai célibataire !...

La reine, fâchée d'entendre son fils renoncer, s'écria soudain, illuminée :

— Et la petite cuisinière ? Vous savez, la dernière embauchée. Elle est si effacée, si sage. Nul ne l'a vue à l'essayage. Qu'on aille la chercher !

Elle fut bientôt dans la cour du château et,

devant l'assemblée qui retenait son souffle, elle enfila son pied dans son soulier.

— C'est elle ! C'est elle ! s'écria le prince.

Il n'eut pas le temps d'en dire plus. La cuisinière avait encore disparu !

— Ah non ! Tu ne vas pas toujours t'échapper !

Mais alors qu'il s'apprêtait à la poursuivre, il fut arrêté net dans son élan. La jeune fille revenait déjà. Elle avait quitté ses vêtements de servante et se présentait en princesse, parée dans la robe en becs de corneilles que tout le monde connaissait.

Plus aucun doute, le mystère était élucidé et une clameur de joie s'éleva. En découvrant la propriétaire du soulier, le prince avait trouvé chaussure à son pied !

Le mariage fut décidé aussitôt et célébré peu après. La princesse avait écrit à son père pour l'inviter et il était venu pour se réconcilier. Sa fille qui avait eu le courage de lui résister l'avait guéri de sa folie.

Pendant le banquet de noce, la princesse s'éclipsa. Mais tous avaient l'habitude de ses disparitions et nul ne s'inquiéta. Elle se rendit auprès de la vache rousse qui broutait sur la butte de terre couverte de gazon.

— Tu vois, lui dit l'animal en l'accueillant, un essayage t'avait perdue, un autre t'a sauvée.

— J'y ai songé, répondit la princesse en souriant. Je suis heureuse de voir que nous avons les mêmes pensées. Mais dis-moi, pourquoi dans les forêts que nous avons traversées, m'as-tu interdit de cueillir une feuille. Si je t'avais obéi, je n'aurais jamais rencontré mon prince.

— Je voulais que tu braves l'interdit pour m'obliger à combattre.

— Tu aurais pu mourir.

— Oui ! Mais il fallait te convaincre que, même désespéré, un combat n'est jamais joué tant qu'on n'a pas lutté.

Sur ces mots, la vache rousse disparut. Mais la princesse savait où elle était. En cas d'urgence, elle saurait la retrouver.

Elle retourna au château, s'assit sur les genoux de son prince et le prit par le cou. Alors, les invités saluèrent les amoureux par des hourras !

NOVEMBRE

HILDUR, LA BONNE MARÂTRE
Conte d'Islande

Où l'on voit des secrets, enfouis
dans des familles, resurgir avec la
naissance d'un enfant et cet
enfant – ici, une princesse – igno-
rant, innocent, commencer par
subir, puis combattre pour faire
éclater les vérités et effacer les
malédictions.

Il arrive parfois que la naissance d'un enfant prenne au dépourvu sa mère qui l'a attendu et que l'amour, prêt à s'offrir, soit soudain condamné. On dirait qu'une porte verrouillée s'ouvre et que le petit en est la clé. Une vérité était emprisonnée, elle se divulgue et la mère qui la comprend s'efforce de la renvoyer à la nuit des temps. Mais le secret, une fois libéré, ne peut plus être retenu. Il continue sur sa lancée, accomplit sa mission, jusqu'à ce qu'une force plus habile parvienne à le neutraliser.

Une reine, un jour, se trouva confrontée à ce mystère.

Tout commença un hiver. En compagnie de son conseiller privé, cette reine se promenait en traîneau dans la campagne enneigée. Bien couverte, emmitouflée dans des fourrures de loup, elle avait si chaud qu'elle saigna du nez et en voyant son propre sang, rouge éclatant, sur la neige immaculée, elle s'écria :

— Un enfant ! J'aimerais tellement un enfant ! Une fille... au teint lumineux comme la neige, à l'esprit bouillant comme mon sang.

— Cette fille vous sera donnée, Madame, lui répondit Raudur, son conseiller. Pourtant, la première fois que vous la verrez, vous ne pourrez vous empêcher de la maudire. « Tu brûleras le château de ton père, tu auras un enfant de lui et tu finiras meurtrière ! » Voilà l'avenir que vous ne pourrez que lui prédire.

Le désir d'enfant de la reine était plus fort que le risque. Elle fut bientôt enceinte et sa grossesse se déroula sans incident. Elle en oublia même la prédiction. Cependant, le jour de l'accouchement, elle changea subitement. Lorsqu'elle apprit qu'elle avait mis au monde une fille, le présage lui revint à l'esprit. Elle cria en fermant les yeux.

— Cachez cette enfant, emportez-la d'ici ! Je ne veux pas la voir !

— Mais... elle est si belle, Majesté, si bien formée ! protestèrent les sages-femmes.

— Mais mon amie, intervint le roi son mari. Un teint de neige, des joues de sang. Elle respire la vie.

— Il suffit !

Le roi renonça à la convaincre. Il retira donc la fille à sa mère et la fit baptiser. Elle s'appellerait Ingibjörg. Puis, il l'installa avec nourrices et servantes, dans une aile du palais où la reine ne la rencontrerait jamais.

Les années passèrent. Ingibjörg grandissait bien. Elle était belle, intelligente et vive. Son père l'adorait et il se désolait que sa femme persiste à la rejeter. Il ne renonçait pas à la persuader de changer.

— C'est une bonne enfant, si vous saviez ! Elle ne veut que vous aimer.

Mais la reine restait fermée.

Lorsque Ingibjörg eut dix ans, la reine tomba malade gravement. Certaine qu'elle allait mourir, elle songea à sa fille et regretta son entêtement. Elle désira la voir pour lui parler, lui demander pardon et chacun, du roi jusqu'au plus humble des valets, fut heureux de la voir revenir à la raison.

On entoura cette rencontre de toutes les précautions et on laissa, en tête à tête, la princesse et la reine. Hélas, quand Ingibjörg se pencha sur sa mère pour l'embrasser, celle-ci en la voyant, se laissa emporter par une bouffée de colère et de haine.

— Maudite sois-tu ! Tu brûleras le château de ton père, tu auras un enfant de lui et tu finiras meurtrière ! Va-t'en ! Hors de ma vue !

Ingibjörg s'évanouit, épouvantée. Quand elle revint à elle, sa mère était morte et enterrée. Elle ne la vit donc qu'une seule fois dans sa vie, mais l'image de cette mère qui la vouait au malheur s'imprima au plus profond de son cœur. Elle resta silencieuse et affligée par ce secret, errant dans le palais, sans joie, sans entrain.

— C'est le chagrin. Elle ne se remet pas du décès, pensait-on. Pauvre enfant !

D'autant plus que le père n'était pas plus vaillant. Seul, il n'avait plus goût à rien. Ni à sa propre vie, ni à celle de ses sujets.

Les affaires du royaume allaient à vau-l'eau.

Mais si la reine avait un conseiller, le roi avait un ami. Quand celui-ci apprit sa mélancolie, il lui rendit visite pour le ramener vers la lumière, avec des mots que seuls se permettent les amis.

— Ce n'est pas la disparue que tu pleures, lui dit-il. C'est toi et ton passé révolu. Cesse de te bercer de ton chagrin. Regarde le présent. Ta fille t'y attend, ton royaume. Tous désirent que tu te remettes en chemin. Et si la solitude est un obstacle, passe outre. Remarie-toi !

— Les remariages sont souvent pires que les veuvages, objecta le roi.

— Parce que les veufs sont des enfants perdus et que, dans la forêt de leur tristesse, ils s'installent dans la première cabane venue ! Laisse-moi chercher pour toi. Je te connais. Je te trouverai la femme qui te convient.

Le roi avait confiance. L'énergie de son ami lui réchauffait le sang.

— Eh bien soit ! lui dit-il. Tu m'as convaincu. Pars sur-le-champ. C'est moi qui te confie cette mission !

L'ami partit donc aussitôt, voyagea longtemps, sur la terre et sur l'eau, visita bien des royaumes, rencontra quantité de princesses en désir de roi, mais aucune digne d'un trône.

Il s'apprêtait à rentrer, à regret, lorsqu'il entendit parler d'un monarque qui vivait avec sa fille sur une île de la mer.

Il fit voile vers cette terre, aborda et rencontra le roi à qui il présenta sa requête.

— Oui ! s'entendit-il répondre. Je suis bien le père d'une fille qui se prénomme Hildur. Oui, j'accepte qu'elle épouse ton ami. Mais à une condition : qu'elle donne elle-même son consentement, car j'ai toujours respecté ses sentiments.

Il envoya chercher la princesse et, lorsqu'elle arriva, l'envoyé du roi resta médusé. Non par la grâce de la demoiselle qui était très belle, mais par sa ressemblance avec Ingibjörg. Même teint de neige, mêmes joues de sang. Deux jumelles ! On aurait dit les deux mêmes enfants !

Hildur écouta attentivement le chargé de mission et donna sa réponse, sans une hésitation.

— J'accepte. Mais il faut me laisser du temps,

car je suis encore jeune. Mes fiançailles devront durer trois ans.

La condition fut acceptée au nom du fiancé et, comme la jeune fille était d'un naturel décidé, elle alla se préparer, afin de partir avec la prochaine marée.

Son père, de son côté, affréta un navire et deux voiles cinglèrent bientôt en direction du continent.

Sur l'autre bord de la mer, quand le roi apprit que son ami rentrait accompagné, il descendit sur le rivage avec sa fille et toute la cour.

Quand Hildur mit pied à terre et s'avança en souriant vers le roi, sa ressemblance avec Ingibjörg laissa tout le monde pantois. La surprise de l'un ajoutait à la surprise de l'autre et l'assemblée, figée, semblait privée de vie.

La voix d'Hildur ramena chacun à la réalité.

— Bonjour, Majesté !

La même voix que Ingibjörg. La rondeur de la brise qui réchauffe le soleil après l'hiver.

Hildur fut acceptée haut la main, par tous, sans autre examen et on regagna le château en cortège, le roi en tête qui parlait déjà de mariage, d'invités et de fête. Son ami dut l'informer de la clause qu'il avait acceptée.

— Trois ans d'attente ! s'exclama le roi. C'est

long. Mais si ma parole est engagée, je ne puis me dédire. J'attendrai.

La vie reprit son cours et le roi, déjà ragaillardi, remit son royaume en activité comme un chantier abandonné.

Ingibjörg et Hildur ne se quittaient plus. On les voyait parler sans cesse, rire, comme deux sœurs séparées qui se retrouvent et qui ont tant à se dire. Souvent, l'une commençait, s'arrêtait et l'autre, pouffant, continuait la même idée. Elles ne bavardaient pas pour passer le temps. Elles s'ajustaient, comme deux plateaux d'une balance à la recherche de l'équilibre parfait. Leur complicité était si grande que Hildur demanda au roi la permission de s'installer avec Ingibjörg dans le manoir, à proximité du château.

Trop heureux que sa future épouse s'entende avec sa fille, le roi consentit et les deux femmes vécurent dans une totale harmonie.

Quelque temps après leur installation, pourtant, Ingibjörg devint sombre et taciturne, apparemment sans raison. Hildur comprit.

— Je sais ce qui te tracasse, lui dit-elle. C'est la malédiction. Ne t'inquiète pas, chaque problème possède sa solution. Nous sommes deux pour la chercher. Le moment venu, nous trouverons.

L'été passa et l'automne, saison des cueillettes, arriva. Cueillette des pommes qui appela tous les domestiques du château dans les vergers. Collecte des impôts qui conduisit le roi dans chaque village, pour une longue chevauchée.

Hildur et Ingibjörg restèrent seules dans leur manoir.

— J'ai une idée, proposa Hildur. Puisque tu dois brûler le château de ton père, brûlons-le pendant qu'il est désert.

Effrayée par la prédiction, Ingibjörg n'aurait jamais osé l'attaquer de front. Mais elle accepta la proposition et les deux femmes déménagèrent tout ce que le château contenait de précieux pour l'entasser dans leur manoir, en sûreté. Après quoi, elles préparèrent plusieurs foyers et allumèrent le feu.

L'incendie se propagea rapidement. Des flammes sombres, une fumée âcre. La bâtisse flambait, mais aussi le mauvais sort qui accablait la princesse.

Les cueilleurs, alertés par le grondement de la fournaise, décampèrent des vergers et accoururent avec des seaux pour tenter de sauver une partie du château. Mais les deux femmes, comprenant le danger, jetèrent de la poix et du goudron dans le brasier. Le feu rugit avec violence. Personne ne put s'en approcher.

Quand tout fut consumé, Hildur s'écria devant les ruines fumantes :

— Rien ne sert de se lamenter ! Reconstruisons-le, plus grand, plus beau qu'avant et réservons la surprise au roi.

Elle prit les choses en main, organisa le chantier, supervisa les travaux, communiquant à tous son entrain.

Quelques semaines après, lorsque le roi rentra de sa tournée, sa nouvelle demeure était achevée.

— On ne sait pas comment le feu a pris, expliqua Hildur à son futur époux ahuri. Mais ce qui est certain, c'est qu'il a tout détruit. C'était un mal pour un bien, car nous avons tout reconstruit.

Le roi souriait, ébahi et satisfait.

— Si je m'attendais !... s'exclama-t-il. Mon ancien palais commençait à me peser. Sombre et humide, il me tirait vers le passé. Celui-ci rayonne de lumière. J'ai hâte que nous soyons mariés !

Mais on n'était qu'au terme de la première année.

Ingibjörg, après l'incendie du château, éprouva un soulagement immense. Le sort qui l'accablait pouvait donc être conjuré et elle reprit confiance. Mais le répit fut de courte durée.

En effet, à mesure que les semaines passaient, elle redoutait d'être à nouveau confrontée à la malédiction. Le deuxième sort... le plus odieux. Un enfant... Elle n'osait y penser.

Elle se renferma, refusa de sortir, encore plus de rencontrer son père.

Comme elle ne parlait plus, Hildur aborda le sujet.

— La peur n'est pas le meilleur moyen. Si tu dois avoir un enfant, évitons du moins le pire, et la honte. Voilà ce que tu vas faire. Je connais une maison dans la forêt. Tu vas t'y rendre et y rester trois jours et trois nuits. Quand le soleil sera couché, un homme viendra te voir. Ne crains rien de lui. Il ne te veut aucun mal. Sois docile et fais ce qu'il te dit. Il te quittera avant l'aube, car le jour est mauvais pour lui. Il repassera la nuit suivante et le lendemain. Au quatrième matin, reviens. Alors, je monterai la garde autour de toi.

Ingibjörg suivit à la lettre les conseils de Hildur. Mais dans l'ombre, quelqu'un guettait. Un homme à qui l'amitié des deux femmes déplaisait : l'ancien conseiller de la reine défunte, Raudur. Raudur le manipulateur ! Raudur le jeteur de sorts qui, avant la naissance d'Ingibjörg, avait scellé son destin.

L'absence de la princesse ne lui échappa pas. Il en devina la raison, car il avait un flair de chien.

Quelques semaines après le séjour dans la forêt, il demanda à rencontrer le roi.

— Majesté, votre fille manigance à votre insu. Elle est enceinte !

— Enceinte ? À quoi penses-tu ? Drôle d'idée !

— Elle est enceinte, insista Raudur, je le sais ! Quand vous irez la voir samedi prochain comme vous le faites chaque semaine, donnez-vous l'occasion de poser votre tête sur ses genoux. Vous sentirez la vie bouger en elle.

Le roi fut ébranlé par la nouvelle, mais décida d'en avoir le cœur net.

Le vendredi suivant, Hildur entra dans la chambre d'Ingibjörg en portant un panier.

— Ton père a été prévenu par Raudur, lui annonça-t-elle. Il sait, mais il n'est pas certain. Alors, au cours de sa visite demain, il posera sa tête sur tes genoux pour vérifier. Cache sous ton tablier les petits chiens qui sont dans ce panier. En les sentant bouger, le roi croira que Raudur a dit vrai. Tu lui donneras la preuve qu'il s'est trompé.

Le lendemain, le roi rendit visite aux deux amies. Comme d'habitude, elles discutaient dans le salon, quand soudain, pris d'un élan d'affection, le roi se mit aux pieds de sa fille et lui posa la tête sur les genoux. La robe d'Ingibjörg bougeait et tressautait.

— Mais, s'étonna le roi, tu portes la vie en toi !

— La vie ? Oui, père ! Des petits chiens que Hildur m'a donnés, hier.

Elle découvrit son tablier et le roi fut rassuré. Il quitta sa fille et sa fiancée, puis convoqua Raudur.

— Tu as voulu déshonorer ma fille ! S'il n'y avait la confiance que mon épouse défunte t'accordait, je te chasserais.

— Je sais ce que je sais, Majesté, insista Raudur malgré l'algarade.

— Disparais !

Le traître se fit oublier, mais revint à la charge quelques semaines après.

— Je persiste, Majesté. Votre fille est enceinte et je peux le prouver. Quand vous irez la voir, samedi prochain, trouvez moyen de lui entailler la main et recueillez un peu de son sang. Vos médecins vous le confirmeront : son sang est celui d'une mère... qui ment.

Le vendredi, Hildur organisa la contre-attaque.

— Donne à ton père l'occasion de te blesser. Préparons un gâteau et demandons-lui de le couper. Quand la lame glissera vers ta main, j'intercalerai la mienne et mon sang souillera ton tablier. Il servira pour le test.

Le lendemain, les choses se déroulèrent telles que Hildur les avait combinées et le roi, désolé de sa maladresse, quitta ses hôtesses en emportant l'échantillon à analyser.

Le diagnostic des médecins fut sans appel. Ce sang provenait bien d'une vierge !

— Je ne sais ce qui me retient ! gronda le roi furieux.

Raudur était un sorcier et sa force agissait. Le roi l'ignorait. Il en était prisonnier. Mais l'intrigant ne s'avoua pas vaincu. L'anniversaire de son maître lui fournit une nouvelle occasion de confondre Ingibjörg.

— D'ordinaire, Majesté, elle danse sans éprouver la moindre fatigue. Elle enchaîne rondeaux, bourrées, sarabandes, gigues endiablées... Cette année, elle fera exception.

Avec aisance, Hildur contra cette machination.

— Nous échangerons nos vêtements, proposa-t-elle à Ingibjörg. Je prendrai ta place et tu prendras la mienne. Toi, en fiancée ; moi, en fille à danser. J'épuiserai tous les cavaliers !

L'anniversaire fut une réussite et le bal, un festival de danse où Hildur, déchaînée, tint son pari en animant la nuit.

— Enceinte, ma fille ? Avec cette énergie, cette résistance ?...

— Patience, patience... s'obstinait Raudur à mi-voix.

Il misait sur l'accouchement. La supercherie éclaterait alors au grand jour. Il triompherait.

Mais au cours des neuf mois de la grossesse, Hildur avait eu le temps d'y penser.

En secret, elle prépara une chambre dans les combles du manoir où elle installa son amie. Prétextant qu'Ingibjörg était malade, elle resta à ses côtés, mit l'enfant au monde, l'emmaillota, enroula à son cou un triple collier d'or et l'exposa[1] sur un mur à l'arrière du manoir, côté forêt, puis prodigua à la mère tous ses soins.

Après deux semaines de lit, lorsque Ingibjörg quitta la chambre, on mit sa pâleur et sa faiblesse sur le compte de la maladie. Personne ne soupçonna rien.

La deuxième année s'achevait. Rude bataille. Ingibjörg en sortait épuisée. Mais la guerre contre la canaille n'était pas terminée. Restait le dernier sort : « Tu finiras meurtrière ! »... le pire des

---

1. L'exposition d'un nouveau-né était une pratique courante des sociétés anciennes. Elle consistait à se débarrasser de l'enfant non désiré en l'exposant, dehors, à la merci des intempéries, des bêtes... Plus tard, cette pratique s'humanisa et on abandonna les enfants à la porte des hospices, des orphelinats, des églises. L'abandon existe toujours aujourd'hui, mieux pris en charge et assumé par nos sociétés.

trois ! À lui seul, il pouvait anéantir deux ans d'efforts. Ingibjörg était terrorisée, d'autant plus que Hildur, pour une fois, était à court d'idées.

L'année tirait vers sa fin, la troisième, et rien n'était joué. La saison des pommes revenait et la récolte tenait ses promesses. Les fruits étaient magnifiques, mais les plus beaux se trouvaient sur un pommier planté dans la falaise qui surplombait la mer. On devait y descendre encordé, assuré depuis le haut. Personne ne voulut s'y risquer, sauf Raudur qui recherchait un exploit, pour regagner l'estime du roi.

— Belle aubaine ! s'écria Hildur.

— Où, une aubaine ? demanda Ingibjörg.

— La corde ! Demande à ton père la permission de retenir Raudur.

— Je n'ai pas assez de forces. Il est trop lourd !

— Justement ! Au début je t'aiderai. Puis, je simulerai un malaise, laisserai tomber le filin et tu lâcheras prise à ton tour.

Quand les intentions sont justes, les actes sont favorisés. Le roi donna son autorisation et Raudur n'osa pas renoncer quand il vit qui l'aidait. Il s'engagea donc dans la descente.

La suite se déroula, conforme au plan. Raudur n'avait pas atteint le pommier qu'il perdait l'équilibre et s'abîmait dans la mer, dans un grand plouf !

Les deux femmes poussèrent un cri d'horreur et demandèrent pardon. Le roi pardonna – ouf ! – tourna la page et parla mariage. Le délai imparti aux fiançailles tirait à sa fin et il ne voulait plus penser qu'à la cérémonie.

Les semaines suivantes se passèrent donc en préparatifs et Hildur devint reine le premier jour de l'hiver.

Pourtant, le conte ne pouvait en rester là.

— Pour quelle raison ?

— L'enfant !

— Quel enfant ?

— L'enfant au collier d'or, emmailloté, exposé sur le mur du manoir, côté forêt ! Qu'était-il devenu ? La lisière s'était-elle avancée, à la faveur de la nuit ? L'avait-elle saisi pour l'offrir en pâture aux sauvages ? Ou bien...

— Vite, la fin !

— Il avait été recueilli simplement. Par son père qui l'avait choyé et nourri.

En début de soirée, justement, à la fin du banquet, on frappa à la porte de la salle à manger. La reine alla ouvrir. Un homme, jeune, attendait. Elle l'embrassa en le serrant dans ses bras et le roi prit ombrage de ce baiser. Mais Hildur le rassura.

— Je vous présente mon frère, Majesté.

Puis, se tournant vers Ingibjörg :

— Mon amie, je te présente le père de ton petit !

Une servante fit alors son entrée. Elle portait un enfant âgé d'un an.

Ingibjörg reconnut le triple collier d'or qui entourait son cou. Elle le prit et le couvrit de baisers, en lui murmurant des mots doux.

— Mon frère avait subi le pouvoir d'un sorcier, expliqua Hildur aux invités. Monstre le jour, obligé de se cacher, homme la nuit lorsque tout le monde dormait. Le sort qui l'emprisonnait ne pouvait être détruit que par l'amour d'une femme, pendant trois nuits.

Hildur raconta ensuite, pour que chacun n'ignore rien, quelle terrible malédiction pesait sur la princesse Ingibjörg et comment elles l'avaient vaincue, à deux, grâce à leur affection.

On profita que la noce du père n'était pas achevée pour marier la fille à son amant. Une belle fête ! Pleine de rebondissements et de gaîté retrouvée. Je le sais. Un de mes ancêtres se trouvait parmi les invités. Il en a consigné le déroulement et l'histoire s'est transmise dans ma famille, de génération en génération. Malheur à moi, si je faisais exception.

Un mystère, pourtant, demeure entier, sur lequel mon parent ne m'a rien laissé.

Comment des êtres, sans la moindre parenté, peuvent-ils comme Hildur et Ingibjörg, se ressembler ? Est-ce que dans l'univers immense, un jumeau, identique à nous, de cœur et de corps, nous attend, faisant la nique à toutes différences ? Je ne sais et je reste troublé.

DÉCEMBRE

SABOTS, JUPE ROUGE ET VESTE DE DRAP
Conte du Danemark

Où l'on apprend comment une
forteresse de vanité peut succom-
ber à un siège mené avec amour,
persévérance et suite dans les
idées.

Dans ce conte, la forteresse est
une princesse et ses jours sont
comptés.

— Ton père est mort et je mourrai un jour, dit une mère à son fils. Aussi, je voudrais savoir, avant de partir, quelle femme me remplacera auprès de toi !

Drôle de langage ! Une épouse, d'ordinaire, ne remplace pas une mère ! Bien sûr, mais cette mère-là n'était pas la première venue. Elle était reine. Oui ! Du Danemark ! Elle assurait la régence depuis la disparition de son mari le roi, en attendant que son prince de fils prît les commandes. Voilà pourquoi il lui importait de savoir quelle femme il épouserait. Si une intrigante venait à lui jeter le grappin dessus, le royaume serait dans de beaux draps.

— Rassure-moi !

— Je ne peux rien dire puisque je ne la connais pas ! Mais je sais en tout cas, qu'elle chaussera des sabots et portera jupe rouge et veste de drap !

— Quoi ! s'étrangla la reine mère. Une roturière, tu n'y penses pas ! Ce sont les pires aventurières !

Mais le fils n'en démordit pas.

Effarée, la reine fit prévenir en secret l'empereur de Russie, son cousin, afin qu'il vienne raisonner ce gamin et le remettre dans le droit chemin.

Mais, tout empereur qu'il était, une fois à la

cour du Danemark, lorsqu'il aborda le sujet, il reçut la même réponse, comme un soufflet.

— Je ne peux rien dire puisque je ne la connais pas ! Mais je sais en tout cas, qu'elle chaussera des sabots et portera jupe rouge et veste de drap !

— C'est une folie !

— Folie qui se réalisera !

— Je parie mon empire que non !

— Et moi, mon royaume que oui !

Tout était dit. La discussion s'arrêta là et l'empereur rentra dans sa Russie.

Mais le problème demeurait et la reine, sans cesse, ramenait la question sur le tapis.

— Et si tu partais à la cour de l'empereur ? Son aînée est en âge de se marier. Sollicite sa main.

Surprise ! le prince accepta. Pourquoi ? Par lassitude ? Pour être agréable à sa mère ?... Il accepta, sans plus de commentaire et partit le lendemain, de bonne heure, le matin. Mais dans quel équipage ! Vêtu humblement, installé dans une simple charrette tirée par deux ânes, sans tambour, ni trompette. On aurait dit un paysan. Il ne voulait pas qu'on le remarque et qu'on le prenne pour ce qu'il était : le futur roi du Danemark.

Une fois à la cour, il obtint une audience de la princesse. Une chance !

Elle était fière et méprisante.

— Qu'est-ce que c'est ?

— Peu de chose, Altesse. Juste vous demander si vous accepteriez de m'épouser !

Elle le toisa, puis voyant son attelage sous la fenêtre, elle sortit et coupa les oreilles de ses ânes.

— Pour t'apprendre qui je suis et aussi qui tu es !

— Bien ! répondit le prince.

Et il rentra chez lui, dans sa charrette tirée par ses ânes, sans tambour, ni trompette. Sa mère, la reine, qui avait tant misé sur cette alliance, fut déçue de son échec et s'enferma dans le silence.

Le temps passa. Plusieurs années. La reine vieillissait d'attendre et d'espérer. Un jour, elle prit une décision.

— Quitte ou double ! Au diable les précautions !

Elle possédait trois objets d'or massif : une bague, une montre et une boîte à musique.

— Je voulais les emporter avec moi dans la tombe, dit-elle à son fils. Mais, tiens, je te les donne. Ils t'aideront à vaincre les caprices de cette arrogante qui se voit déjà impératrice !

Les trois bijoux dégageaient une lumière intense. La bague pouvait éclairer une chambre, la montre, une cour, sans laisser un seul recoin dans l'ombre. Quant à la boîte à musique, elle était capable, à elle seule, d'illuminer toute une ville par le son de ses notes métalliques.

Dès qu'il eut ses cadeaux, le prince prépara son départ, décidé à battre le fer pendant qu'il était chaud. Mais il avait un plan et, avant de quitter son château, il demanda au maréchal-ferrant de lui forger des cisailles et un couteau à greffer pour faire des entailles.

Lorsqu'il arriva en Russie, chez l'empereur, les jardiniers manquaient justement d'un greffeur. L'ancien venait de mourir. Le prince postula et décrocha la place.

Étrange pays que la Russie. L'homme qui le gouvernait était adepte de la nuit. Une fois le soleil couché, il interdisait les lumières. Pas une lampe, pas une chandelle et dans la ville, pas un réverbère. Pour tout le château, une seule salle restait chauffée et éclairée. Mais tout le monde s'y entassait, vaille que vaille, gens de cour, valets... Une vraie pagaille !

Le prince qui préférait sa tranquillité s'isola dans sa chambre et, comme il avait le moyen de s'éclairer, sortit sa bague en or.

Sa mansarde se trouvait dans une aile qui faisait face aux appartements de la princesse et la fille, aussitôt, remarqua cette lumière sous les toits.

— Quelqu'un ose enfreindre la loi !

Elle en frémit de jalousie et se laissa attirer comme un vulgaire papillon de nuit.

Lorsqu'elle poussa la porte de la mansarde, le jardinier avait rangé sa bague.

— Comment fais-tu ? Montre-moi ?

Le jeune homme obéit et lorsque le soleil, soudain, jaillit de l'anneau, elle s'exclama :

— Combien ? Je te l'achète pour mes appartements. Combien veux-tu ? J'ai de l'or, de l'argent...

— Ni or, ni argent, Votre Altesse. Une nuit, une nuit seulement, dans votre chambre, en secret.

La princesse, interloquée, réfléchit un instant. Après tout, que risquait-elle ? S'il l'importunait, elle appellerait à l'aide. Ses chambrières, qui dormaient à côté, auraient vite fait de le ceinturer.

— C'est entendu, j'accepte !

Le jeune homme donna sa bague et, en échange, passa la nuit chez la princesse où il resta assis dans un coin jusqu'à l'aube, sans bouger. Après quoi, il retourna à ses occupations de jardinier. Il était satisfait. Son piège était armé.

Il attendit quelques soirs, puis il sortit sa montre en or. La lumière éclaboussa la mansarde et se répandit au-dehors sans laisser un seul recoin dans l'ombre.

La princesse qui passait toutes ses soirées dans le noir fut ébahie.

— Quoi ! Une autre bague et il ne m'a rien dit !...

Elle se précipita vers la mansarde, mais lorsqu'elle poussa la porte, le jardinier avait rangé sa montre.

— Ne joue pas au plus malin avec moi ! Je veux la voir !

Le jeune homme obéit, de bonne grâce et lorsque le soleil, soudain, jaillit de la montre, elle s'écria :

— Éteins ! Éteins ! J'achète !... Est-ce que la moitié de mon empire te convient ?

— La moitié d'un empire, Altesse... je ne sais trop quoi vous dire. Je crois que je préférerais une nuit, une nuit seulement, dans votre chambre, en secret.

La princesse savait ce que valaient ces nuits. À ce prix, elle ne réfléchit même pas et se frotta les mains.

— Ne perdons pas une seconde, viens !

Le jeune homme offrit sa montre et reçut sa

nuit en échange, pour attendre dans un coin, jusqu'au matin. Alors, il retourna dans ses jardins.

Le piège était armé et l'appât positionné !

Le prince laissa passer un peu de temps avant de lancer la dernière étape de son plan. Un soir donc – peu importe le jour, il faisait noir comme dans un four – il sortit sa boîte à musique, l'ouvrit et lui fit jouer sa chansonnette métallique.

Le refrain n'était pas terminé que la ville était tout illuminée, au point que les soldats du guet, éblouis, désertèrent leurs postes pour se mettre à l'abri.

La princesse, elle, ne fit ni une ni deux. Elle fonça chez le jardinier et arriva juste au moment où la chanson s'arrêtait.

— Sans rire ! Vends-moi cette merveille ! Je t'en offre la totalité de mon empire.

— Et qu'est-ce que j'en ferais ? Je n'en ai pas voulu la moitié. Ce n'est pas pour l'accepter tout entier. Non ! Vous savez bien ce qui me fait le plus plaisir... C'est de passer une nuit, dans votre chambre, en secret.

— Décidément, murmura la princesse, je comprends pourquoi il ne veut pas d'empire. Il possède déjà un royaume. Celui des imbéciles !...

Puis, à haute voix :

— D'accord, va pour une nuit ! Mais cette fois, laisse-moi t'offrir un bon repas.

— Topez là !

Il donna sa boîte à musique et tous deux se rendirent chez la princesse au pas de gymnastique. La fille de l'empereur commanda des mets raffinés et des vins de grands crus, puis le jeune homme s'attabla.

Par politesse, il leva son verre et but en l'honneur de l'altesse.

— Bouchonné ? s'inquiéta la princesse en le voyant grimacer.

— Non, excellent, au contraire. Mais votre vin me rappelle que j'ai aussi dans ma chambre une bouteille du pays de mes pères... Vous m'en direz des nouvelles...

Il courut la chercher, la rapporta déjà débouchée, servit la princesse et toutes ses demoiselles.

— À votre santé !

Du bout des lèvres, elles goûtèrent. Ce vin était surprenant. Il dégageait au nez, des arômes de noisettes et de cacao grillé, puis s'ouvrait dans la bouche sur des notes de fruit secs, d'épices et de miel. Une merveille !

Après le choc de la première gorgée, elles en prirent une deuxième pour mieux le déchiffrer, une troisième pour le savourer, une quatrième pour retrouver l'émotion de la première, une cinquième pour chanter ses qualités et... la sixième resta dans le verre, car les jeunes femmes, soudain prises de sommeil, gagnèrent leurs lits pour se coucher.

Le vin n'était pas en cause. C'était le somnifère que le jeune homme y avait ajouté !

Libre de ses mouvements, il allongea la princesse délicatement et s'installa sur le lit à son côté. Là, en maître jardinier qui possède la science des graines et des semences, il sortit son couteau à greffer et, penché sur la princesse, lui fit une petite entaille dans le cœur. Elle dormait si bien qu'elle ne ressentit pas la moindre douleur.

Le lendemain matin, il reprit son travail au jardin, comme de rien.

Le piège s'était refermé !

Des mois passèrent. Le jeune homme ne vit plus jamais la princesse et sa chambre restait obscure, comme toutes les pièces du château. Mais une chandelle invisible brillait dans la pénombre.

Un jour, la princesse vint le trouver au jardin, visage défait.

— Qui es-tu ? D'où viens-tu ?

— Je ne l'ai jamais dit. C'est un secret.

Il était ferme. Elle comprit qu'il ne parlerait pas.

— Je suis enceinte, lui annonça-t-elle, sans chercher à biaiser. Tu es le père, je le sais ; tu m'as contrainte. Alors, voilà ! Je dois quitter ma famille. J'ai honte. Je ne veux pas que mon père apprenne l'état de sa fille. Rentre dans ton pays et emmène-moi avec toi, je t'en prie.

La princesse n'était plus aussi arrogante, mais elle avait encore du chemin à parcourir avant de devenir aimable et complaisante. C'est pourquoi le prince du Danemark accepta de prendre la route et de rentrer avec elle.

Ils s'enfuirent la nuit d'après, dans une voiture tirée par un cheval, sur des chemins couverts de neige et de verglas. Pour ne pas éveiller les soupçons, la princesse n'emportait aucun bagage, si ce n'est trois objets d'or massif : la bague, la montre et la boîte à musique.

Le froid attaque toujours par les extrémités et la fille qui grelottait ne sentait plus ses pieds. Forcément, elle portait des escarpins élégants, mieux faits pour les parquets cirés et les couloirs dallés.

— Il te faut des sabots ! lui dit le père de son enfant.

— Des sabots ! répondit-elle sur un ton méprisant.

Sans se soucier de ses grimaces, il lui en acheta une paire chez le premier sabotier venu. Elle les chaussa de mauvaise grâce.

— Ils sont rigides, durs... Comment pourrai-je marcher, entravée de la sorte ?

— Tu apprendras ! Comme tous ceux qui en portent.

Mais quand elle sentit ses orteils se réchauffer, elle cessa de récriminer et se pelotonna dans un coin en cherchant le sommeil.

Hélas, impossible de dormir avec ce froid. Elle n'était pas vêtue pour affronter l'hiver. Sa robe en taffetas et satin était mieux faite pour les salons où les conversations allaient bon train.

— Il te faut de la laine, lui dit son compagnon.

Au village suivant, ils s'arrêtèrent chez une femme qui vendait des jupes de bure rouge. Elle n'était pas encore payée, que la princesse la passait sur sa robe, sans rechigner.

La bure la démangeait, rêche et grossière, mais elle ne se plaignit pas, car une bonne chaleur l'enveloppait déjà. Pourtant, elle continuait de claquer des dents. En effet, si le bas de son corps et l'enfant, surtout, étaient à l'abri, le haut, à peine couvert d'un bustier à bretelles, était secoué de tremblements.

— Il te faudrait des manches, une veste !

Ils s'arrêtèrent chez un tailleur qui lui confectionna un modèle, dans un reste de coupon de drap. Bien protégée, elle put enfin se détendre et, épuisée par le froid, sa fuite, l'inquiétude, elle se laissa bercer par le petit trot du cheval et dormit comme une souche jusqu'au terme du voyage.

Le prince la réveilla alors qu'ils entraient dans la cour de son château.

— Où sommes-nous ? demanda-t-elle.

— Au château du roi du Danemark. J'étais valet chez lui, avant de partir pour la Russie.

L'évocation de son pays lui rappela sa fuite en catimini, les étapes du voyage, ses vêtements de paysanne, grossiers, mais qui avaient rempli leur usage. Elle n'était pas morte de froid, mais elle était amère.

— Quel naufrage ! pensa-t-elle.

L'air était encore frais et le prince la conduisit aux écuries où régnait la bonne chaleur des animaux. Il la fit descendre de voiture pour qu'elle se dégourdisse en marchant dans les allées et admirant les chevaux.

— Quelles bêtes magnifiques ! s'enthousiasma le jeune homme.

— Tu ne dirais pas cela si tu avais travaillé dans les écuries de mon père...

Il sourit. En reprenant de l'assurance, elle

redressait la tête et, à nouveau, perçait son arrogance. Il était temps de lui révéler la vérité.

Il la conduisit vers une stalle où se trouvaient deux ânes aux oreilles coupées.

— Tiens, je ne les avais jamais vus ces deux-là ! fit-il semblant de s'étonner.

La princesse reconnut les deux grisons et se tourna vers le prince pour lui poser une question. Mais la réponse était dans son regard. Elle comprit tout.

— C'était donc toi ! Tu n'étais ni jardinier, ni valet...

Il ne répondit pas. Il la laissa songer. Elle revoyait les événements, depuis sa toute première visite, dans leur enchaînement, jusqu'à leur fuite. À la fin, elle lui dit :

— Tu me plaisais, tu sais. Mais vêtu comme tu l'étais, tu paraissais si niais...

Alors, pour lui montrer qu'elle avait bien saisi, elle désigna d'un geste ses sabots, sa jupe rouge, sa veste de drap et pouffa de rire en se moquant d'elle-même.

Le prince rit à son tour et la prit dans ses bras.

— Viens, lui dit-il. Nous allons faire une surprise à ma mère.

La vieille reine était alitée. L'absence de nouvelles depuis le départ de son fils pour la cour de

Russie l'avait minée. Mais elle s'efforçait de se tenir à la tête du royaume.

— Mère, lança le prince en entrant dans la chambre, c'est moi ! Je suis revenu.

La reine se redressa, émue, et posa la seule question qui l'intéressait.

— Alors, la fille de l'empereur, mon cousin ? As-tu obtenu sa main ?

— Sa main et le corps tout entier ! La voici, mère, devant votre lit, à vos pieds !

— Cette paysanne, la fille aînée...

— Oui mère, souvenez-vous. J'avais dit : elle portera des sabots, une jupe rouge et une veste de drap !

— Alors, faisons la noce ! s'écria la reine, en envoyant valser couvertures et oreillers.

La noce eut lieu. Drôle de noce et drôles de mariés ! Des altesses ces deux amants ? Vous n'y êtes pas ! Des paysans, à peine rentrés des champs !

Le prince, en effet, portait les vêtements de son premier voyage à la cour de Russie et la princesse, ceux qui avaient réchauffé son corps et transformé pour toujours l'hiver de son cœur en printemps.

L'empereur de Russie était présent, naturellement. Mais il en ignorait la véritable raison. Comme il avait perdu son pari, que l'épouse du prince du Danemark était chaussée de sabots, portait jupe rouge et veste de drap, il se croyait invité pour payer le prix de sa défaite. Ce qu'il fit, une fois à table, levant son verre, à la russe.

— J'ai perdu mon empire ! déclara-t-il. J'ai perdu mes sujets. Vous êtes témoins : je ne suis plus rien et je le reconnais !

Il but et fracassa son verre.

— Vous vous trompez, Majesté, lui répondit le prince. Ce n'est pas votre échec qui me fait hériter votre empire. Observez bien ma femme et dites-moi comment vous la trouvez !

L'empereur, intrigué, dévisagea la mariée en s'efforçant d'oublier qu'elle était bizarrement accoutrée. Soudain, il la vit, telle qu'elle était vraiment.

— Ma fille ! Toute mon armée s'était mobilisée pour te chercher. Je te croyais perdue.

Puis se tournant vers le prince.

— Tout est bien. L'empire restera dans la famille !

Et la fête battit son plein.

Restait un invité, pourtant : l'enfant. Personne n'en parlait, du moins officiellement.

Dissimulé dans les coulisses, il entendait les voix, les chants, la fête. Il comprenait tout et connaissait bien les acteurs de la pièce. Il était leur complice.

Mais lorsqu'il ferait son entrée pour jouer sa partie, comme tous les enfants, il recevrait en cadeau de naissance l'oubli. Et sa vie l'attendait pour lui enseigner à nouveau ce qu'il avait appris.

TABLE

Composition JOUVE – 62300 LENS
N° 890567u
Imprimé en France par HÉRISSEY - 27000 Évreux
Dépôt imprimeur : 97955 – éditeur n° 54517
32.10.1151.3/01 - ISBN : 2.01321151.1
Loi n° 49-956 du 16 juillet 1949 sur les publications destinées à la jeunesse
Dépôt légal : mars 2005